ENFANT, JE ME SOUVIENS...

Enfant, je me souviens...

NOUVELLES

LE LIVRE DE POCHE

Le Comité français UNICEF collecte des dons pour l'UNICEF International dans plus de 150 pays dont quelques-uns sont évoqués dans ce livre. Grâce à vos dons, l'UNICEF peut : sauver, protéger, éduquer et réagir en urgence. Nous vous remercions de votre confiance et de votre soutien fidèle.

www.unicef.fr

PRÉFACE

Une « imposture » indispensable : les souvenirs d'enfance

CATHERINE DOLTO

« Quand on n'exigeait rien de moi, je ne demandais rien à personne. J'ai toujours eu des activités solitaires, la plus solitaire étant certainement aussi mon souvenir le plus ancien puisque ma première sensation, je l'ai ressentie avant ma naissance, mon pouce et mon index se touchant. Là où j'étais je dormais beaucoup mais quand je me réveillais j'avais cette sensation et j'étais émerveillé.

— Comment sais-tu que c'était avant ta naissance ?

— Parce qu'il n'y avait rien autour, il n'y avait que ça, mon pouce et mon index flottant l'un contre l'autre, doucement, avant de sortir.

— Et tu en avais conscience ?

— Je n'avais pas conscience d'en avoir conscience mais j'étais en plein dedans. Cela me faisait un éveil dans le cerveau, une sensation, la même que maintenant si je fais ce même geste, seulement maintenant je connais cette sensation, là c'était une première et c'était tellement plus fragile[1]. »

---

1. Jean Babilée, cité par Sarah Clair, in *Jean Babilée ou la Danse buissonnière*, Van Dieren éditeur, Paris, 1995.

Que l'on croie ou non à ce que dit Jean Babilée, cette citation est pleine d'enseignements. Elle nous dit la relation intime entre la sensation tactile et la manière dont elle stimule le cerveau puis le geste, répété, qui déclenche la remontée en surface de ce qu'il nomme un souvenir.

Nous savons maintenant que se souvenir, ce n'est pas sortir un fichier d'une boîte d'archives, mais rebâtir des circuits neuronaux qui réinventent le souvenir[1]. Le déclencheur de cette recréation mémorielle est souvent une provocation de nos sens, une odeur, un son, une couleur, un mouvement, un contact, ou un mot, un signifiant. Nous sommes là face à un grand mystère dont nous commençons seulement à comprendre un peu le fonctionnement. Si j'ose parler d'imposture, c'est parce qu'il est parfois impossible de démêler le vrai de ce que l'on a vécu, de ce que les autres nous en ont raconté. Comme si leur réalité et la nôtre n'en faisaient plus qu'une, dans laquelle il est impossible de décoller le réel de la décalcomanie que nous propose la subjectivité de notre entourage entrelacée à la nôtre. Nulle malhonnêteté dans cette « imposture » puisque l'entourage n'a pas d'intention maligne et que c'est nous-mêmes que nous abusons ou plutôt qui nous laissons abuser par celui qui est tantôt le serviteur, tantôt le maître de notre vie affective : notre système nerveux. Voilà pour l'imposture.

---

1. Gerald M. Edelman, *Biologie de la conscience*, Odile Jacob, Paris, 1992.

Les souvenirs sont indispensables parce qu'ils sont constitutifs de notre identité.

Mais ils ne sont que la partie immergée de l'iceberg des traces mnésiques non conscientes inscrites dans le cerveau et dans la chair. Nous recevons chaque instant des milliers d'informations sensorielles internes et externes et, si nous n'en faisions pas le tri, nous serions entièrement engloutis, envahis, par ces perceptions. Le tri que nous en faisons est affectif, il dépend des sentiments de sécurité ou de peur, de joie ou de peine, que ces perceptions éveillent en nous. C'est donc un tri secret hautement lié à notre histoire, à notre entourage, à notre culture.

Petit à petit, les expériences, les émotions, les événements, les rencontres sédimentent au plus intime de nous-mêmes pour former cet humus affectif sur lequel viendront se broder du sens et des récits qui le justifieront. Pour donner du sens à leur vie, les humains sont prêts à toutes les constructions explicatrices et potentiellement justificatrices. Ainsi, au jour le jour, se tisse le fil de la soie du moi, dans lequel tous les niveaux de conscience apportent leur brin. Comme des rochers qui surgissent de la brume, ces anecdotes que nous appelons « souvenirs d'enfance » sont pour nous des repères dans l'espace nébuleux des différents lieux où nous avons vécu et dans le flou du déroulé du temps qu'ils scandent. Il y a de tout dans le vaste tiroir où sont rassemblées les traces mnésiques conscientes et non conscientes, qui constituent à la fois nos archives et nos annales. On y trouve les souvenirs écrans, qui ont pour unique fonction d'en cacher un autre qui ne serait pas supportable, et les souvenirs d'enfance en tant que tels, sertis comme des camées, faisant prégnance dans l'épaisseur complexe de notre histoire, dans l'océan des sensations, où ils sont d'indispensables repères. Ils sont parfois d'une grande banalité, pourtant ils sont essentiels parce qu'ils font écho au Sujet que nous sommes, dans l'intemporel de l'être. Ils disent de nous plus que ce qu'ils sont, puisqu'ils tentent de dire l'indicible d'une continuité que nous éprouvons, mais qui nous échappe sans cesse. Ils murmurent à notre oreille un secret qui nous concerne au plus intime, mais qu'il nous est impossible de cerner et de formuler. Ce secret évolue au cours de notre histoire, mais il reste constitutif du fil rouge qui nous permet de dire « je ». Nous nous accrochons à nos souvenirs comme à des phares dans la nuit dans laquelle nous plonge le mystère de notre destinée, parce qu'ils sont des repères qui donnent du sens à notre vie telle que nous voulons qu'elle soit ou croyons qu'elle est. Alors, vrais ou faux, quelle importance ?

Dr Catherine Dolto, haptothérapeute,
est membre du Comité de parrainage
de l'UNICEF France.

Paris, 28 mars 2016.

Ananas is back

AGNÈS ABÉCASSIS

La balle orange rebondit en produisant un bruit métallique.

Je la rattrape et la projette contre le sol à nouveau, lentement, le regard froid et sec.

Pas évident, le coup du lancer de regard sec, vu toute la flotte qui me dégouline dans les yeux. Impression agaçante de perdre les eaux d'une manière inhabituelle. Je sue du front, je sue de partout, mais je surveille surtout le score. En ma défaveur, évidemment. Ça fait si longtemps que je n'avais pas touché à un ballon de basket. Tant pis pour moi. Je resterai digne dans la défaite. Quitte à me faire pulvériser par une morveuse, je lui montrerai de quel bois je me…

En quelques foulées, l'adolescente aux longs cheveux bouclés fond sur moi, me subtilise le ballon, dribble plusieurs fois, saute avec l'aisance d'une chèvre des alpages en milieu naturel, et marque un panier.

Arf ! Petite peste.

Elle fait rebondir sa balle contre le sol en béton de ce terrain écrasé de soleil. Sur ses pommettes, les taches de rousseur sont plus nombreuses que les boutons d'acné. Elle darde sur moi ses yeux bruns ourlés de longs cils noirs en avançant, déterminée.

Rudement jolie, cette pimbêche. Son visage est fin et ses sourcils sont épais. Sa taille est marquée, ses cuisses sont fermes, elle a un long cou et une crinière de lionne qui aurait mérité d'être mieux domptée. Mais peu semble lui importer, pas même le splendide coup de soleil qu'elle arbore sur le nez, si brûlé qu'il commence à peler.

Pénalisée par mon manque d'entraînement, je trottine vers l'adolescente qui dribble sa balle. Je me vois heureuse et soulagée, si je puis dire, d'avoir enfilé mon soutien-gorge de sport, qui pourtant diminue l'amplitude de mes inspirations tant il me comprime. Et comme je suis focalisée sur l'art d'absorber le plus d'oxygène possible pour esquiver la syncope, mes bras écartés en guise de défense ne me sont d'aucune utilité pour l'empêcher de bondir à nouveau et de marquer un panier.

Cette fois, j'en ai le souffle coupé.

— Rappelle-moi ton prénom, déjà ? je lui demande, certaine de l'avoir déjà rencontrée.

La fille se marre.

— Ananas !

— Ouais… C'est pas un prénom, ça.

— Je sais, lâche-t-elle en haussant les épaules. Mais c'est ce beau blond, là, qui n'arrivait pas à retenir mon prénom, trop compliqué dans sa langue. « Ananas » lui semblait plus simple. Et moi, ça m'a fait rire.

Je réalise soudain que nous ne sommes pas en France, mais dans un pays beau, lumineux et intense. Un endroit dont la langue n'a rien de latin, une contrée où la cuisine est éclectique et savoureuse, où les danses traditionnelles sont sautillantes, collectives et enthousiastes.

Tiens, d'ailleurs, hier, je l'ai vue danser, cette Ananas. Et j'ai été soufflée par son toupet.

Le garçon qu'elle évoque était présent. Mignon, dans le genre blondinet qui se la pète, avec son short en toile et son tee-shirt estampillé du logo d'un groupe de hard rock. Il l'observait de loin, la fixait, mais sans oser s'approcher d'elle. Tellement plus en sécurité parmi sa bande de potes.

Un cours de danses folkloriques avait lieu depuis l'après-midi et jusqu'au soir, sur ce terrain de basket de la petite ville où Ananas et moi passions nos vacances. Ce cours était gratuit et ouvert à tous, rassemblant des gens heureux de se retrouver, d'échanger, de communier dans des chorégraphies enjouées.

Un prof en enseignait les différents mouvements. C'était un petit brun trapu aux cheveux bouclés, plutôt pas mal, mais moins que le blond qui couvait Ananas du regard.

La jeune fille s'était assise sur le sol, en retrait des autres, les genoux repliés entre ses bras, le menton posé dessus. Elle s'était contentée d'observer, sans oser se mêler à ces inconnus de tous âges qui dansaient sans complexe.

Et pendant qu'elle mémorisait l'enchaînement des pas et des gestes, de tout son cœur elle n'attendait qu'une seule chose : que le beau blond l'invite à danser.

Mais elle avait seize ans, et lui aussi. Et on ne danse pas, devant ses potes, quand on a seize ans. Jamais. Et pourquoi pas embrasser sa mère en public, aussi, tant qu'on y est ?

La soirée tirait à sa fin.

Après les rondes échevelées, les sirtakis endiablés, et les *belly dances* déchaînées, le prof allait débuter la toute dernière chorégraphie enseignée plus tôt. Celle qui s'effectuait à deux. La moins facile, celle aux mouvements les plus synchronisés, les plus compliqués.

Ananas était désespérée. Tout ce temps, elle était restée prostrée là. Bouillonnant d'envie de rejoindre les danseurs, sans parvenir à trouver le courage de se lever pour se mêler à eux.

Le prof, concentré sur sa platine, changea la musique. Devant le final difficile qui s'annonçait, la moitié des participants quittèrent le terrain de basket et allèrent s'asseoir, vaincus d'avance. Dans l'autre moitié, les couples se formèrent. Et toujours aucun mouvement du beau blond en direction d'Ananas. Non. Il fumait tranquillement sa clope en ricanant avec ses copains chevelus.

S'en fut trop pour la jeune fille.

Elle se leva, et fit ce qu'aucune participante n'avait fait jusqu'alors : elle invita le prof à former un duo avec elle.

Un instant surpris d'être convié par une élève qui n'avait pas répété le moindre pas, l'homme accepta, la prit par la main, et la mena devant la petite troupe.

14

En tant qu'enseignant, il connaissait l'enchaînement rythmé par cœur, ce qui n'était pas le cas des autres participants, retraités, voisins ou curieux, qui l'avaient appris laborieusement un peu plus tôt. Tous se mirent donc à se mouvoir avec une telle approximation, qu'ils finirent par ralentir pour le simple plaisir de regarder le couple inattendu virevolter magistralement.

Car Ananas dansait bien, très bien, même. Et le prof, qui lui broyait la main et la taille, semblait ravi d'avoir déniché une telle partenaire.

La jeune fille, concentrée sur les mouvements qu'elle exécutait à la perfection, leva la tête et son regard croisa celui du beau blond. Ce qu'elle vit lui procura une sensation de plaisir indescriptible : le garçon la contemplait bouche ouverte, clope au bord des lèvres menaçant de tomber, sidéré de la voir évoluer avec autant de grâce.

Lorsque la musique cessa, le Gene Kelly local et son fruit au nez pelé reçurent un tonnerre d'applaudissements.

La jolie Ananas, émue, jeta un regard de mépris absolu au blondinet timide qui n'avait pas ramassé sa mâchoire, remercia poliment son cavalier, et s'éclipsa dans la nuit.

Je le sais, j'étais là, j'ai tout vu.

Et me voilà désormais face à miss Flashdance, qui me nargue dans son tee-shirt à épaule dénudée, son short en éponge rose fuchsia, et ses Reebok Freestyle noires.

Holà, ce n'est pas parce que je suis au bord du malaise vagal, à tenter d'optimiser les rares molécules d'oxygène que mes poumons fatigués absorbent douloureusement, que je vais capituler.

Maintenant, ça suffit.

En trois pas déchaînés, je m'élance vers la gamine, lui rafle le ballon des mains, dribble jusqu'au poteau, mets toute ma hargne et mon énergie dans mon entreprise, si bien que d'un bond prodigieux j'atteins le haut du panier. Au ralenti, j'y plonge le ballon dans le filet de toutes mes forces. C'est un dunk mémorable, sublime, spectaculaire, que dis-je, légendaire, Ananas m'applaudit, je ne touche plus terre de fierté… D'ailleurs, tiens, c'est vrai, je ne touche plus terre. Je redescends avec une telle lenteur que je réalise que je n'ai pas du tout envie de redescendre, et que c'est le moment ou jamais pour me mettre à nager. Alors je nage une brasse papillon frénétique, et tout doucement je reprends de l'altitude. Je n'ai aucun vertige, puisque je sais parfaitement voler et qu'en plus, j'ai une petite brise dans le dos. En bas, Ananas me tend ses deux pouces levés en guise d'encouragement. J'ai réussi, j'ai fait un match admirable avec ce dunk exceptionnel qui entrera dans l'histoire du sport des mères de famille. Je suis folle de joie car les Harlem Globetrotters espèrent me voir rejoindre leur équipe. Je sais tout cela. J'ignore comment, mais je le sais. Et ça me semble normal. La seule chose qui me dérange, c'est que je vais devoir porter des talons hauts pendant les matchs, si je ne veux pas avoir l'air d'une naine à côté d'eux. Et soigner avec une cuillère de miel ma voix enrouée.

Ah non, pardon, c'est celle de JoeyStarr. Au temps pour moi.

Et me voilà, filant à travers les nuages, propulsée par l'élan de mes bras, me sentant spectaculairement tranquille, sereine et légère.

J'atterris dans une chambre, délicatement, hop, en équilibre sur un pied.

Oh, non, hé ! Moi, je voulais encore voler ! Il n'y a rien, en plus, dans cette chambre. Juste un lit, des posters quelconques, un mobilier basique, c'est une chambre d'ado, quoi.

Assise sur la moquette, dos contre le pied du lit, recroquevillée sur un album de BD, se tient une petite fille. Ses cheveux noirs sont coupés trop court, ses dents sont de travers, et elle porte d'affreuses lunettes à monture en écaille. C'est qui, cette gosse ? Elle est trop grande pour son âge, maigrichonne et elle doit avoir, quoi, huit, neuf ans ? On lui en donnerait facilement trois de plus.

Elle semble triste, mais elle ne l'est pas. Elle ne l'est plus. Plongée dans la lecture d'une bande dessinée d'*Astérix*, qu'elle a piquée dans la bibliothèque de cette chambre d'ado qui n'est pas la sienne, elle se régale, subjuguée par les dialogues hilarants et les dessins si maîtrisés. D'au loin lui parviennent des conversations et des gloussements. Ça s'exclame, ça vit, ça bavarde, l'ambiance est joyeuse, il y a des gamins de son âge et des adultes. Mais personne ne lui parle. Personne ne s'intéresse à elle. C'est toujours comme ça, quand elle vient ici. Elle n'a jamais su pourquoi. Ça la fait souvent pleurer, une telle indifférence. Heureusement, il y a les livres. Les livres, eux, lui parlent. Des heures durant. Ils lui racontent des histoires, ils la font rire, ils s'occupent d'elle. Les livres sont des îlots de douceur, de connaissance et d'émotions dans lesquels elle peut abreuver sa soif d'un ailleurs meilleur.

J'ai envie de m'avancer, de m'asseoir en tailleur moi aussi, à ses côtés, et de discuter avec cette petite fille, mais il y a Sinclair qui me parle. Dis donc, joli rouquin, je peux être tranquille une minute ? Je me sens agacée, alors je me retourne et me pelotonne dos à la télévision. Aussitôt, la *Nouvelle Star* disparaît de l'interstice de mes paupières frémissantes sur mon sommeil paradoxal.

Je grogne. Je ronfle sûrement, aussi, un peu. Hélas, cette petite fille n'existe plus. Tout comme l'adolescente, disparue elle aussi. Alors, j'ouvre les yeux brusquement, et je me redresse, visage chiffonné et crinière désormais lissée coiffée en mode pagaille.

Mon lit, je veux mon lit. Mais j'ai tout juste la force de saisir la télécommande, de couper la parole à un ukulélé, de ramener le plaid sur moi, et de me rendormir contre le coussin tendre de mon canapé.

Quelques heures plus tard, je me lève enfin et vais déposer un bisou sur le front de mes filles bien trop grandes pour être qualifiées de bébés, mais bien trop aimées pour cesser de l'être.

Me vient à l'esprit que lorsque j'étais enceinte de chacune d'elles, le tout premier objet que j'ai acheté, ce ne fut pas une grenouillère ou un hochet, non, ce fut un livre. Un livre pour tout-petits. Un objet essentiel à leur enfance. Un outil impératif à leur bien-être.

Or, ce soir, nous sommes invitées à dîner chez ma copine Sandrine.

Elle fêtera avec nous l'anniversaire de Quentin, son fils, qui, en changeant d'école, a perdu tous ses amis. Sandrine l'élève seule et elle jongle entre deux boulots. Son gosse a neuf ans. Il est timide, solitaire, taciturne, trop sensible, et il aime se perdre dans des jeux vidéo.

L'évidence s'impose. Ce soir, j'apporterai un gros bouquet de pivoines, et deux ou trois bouquins, que j'irai choisir à la librairie d'en bas, pour son fiston.

Des livres pour lui permettre d'être libre.

Peut-être un manga pour l'allécher. Une BD de *Kid Paddle*, pour le faire rigoler. Une enquête de *Sherlock Holmes*, pour le passionner. Le premier tome de *La Guerre des clans*, pour le captiver. Et même, sans doute, un exemplaire du magazine *J'aime lire*.

Dans quelques semaines, sa maman m'apprendra que Quentin s'est pris de passion pour un de ses ouvrages, et qu'il lui a demandé de l'inscrire à la bibliothèque de son quartier, pour en dévorer d'autres. Je le sais, j'en suis sûre. C'est la petite fille qui me l'a dit. Celle à qui la bande dessinée a mis des bulles d'oxygène dans sa vie, et attaché des ailes à sa créativité.

Parce que la gamine qui lisait, isolée des autres, est toujours là, nichée en moi. À la différence que, maintenant, je suis capable de la protéger.

Bien sûr, elle n'est pas toujours très à l'aise en société. Elle se sent souvent sauvage, et peu sûre d'elle. Mais elle n'a jamais disparu et, aujourd'hui, c'est elle qui écrit pour les autres. Et qui remercie ceux qui l'ont mise à l'écart. Car les super pouvoirs, comme celui de l'imagination, ne se révèlent que lorsque les temps sont troublés.

Bruce Banner a très exactement la musculature d'une sardine, si personne ne vient l'embêter et le rendre vert de colère. Wonder Woman n'aurait aucune raison de devenir une amazone sexy en tournant sur elle-même, si son monde à elle tournait rond.

J'en étais là de mes réflexions, brossant mes dents parfaitement redressées en les contemplant dans le miroir de ma salle de bains, lorsque j'aperçus sur la tablette un paquet de Kleenex fermé.

Je me rinçai la bouche sans le quitter des yeux, puis je le saisis, et balançai mon poignet par-dessus ma tête en une passe élégante. Direct, le paquet atterrit dans le mini-seau en bambou accroché au mur, contenant toutes nos brosses à dents.

Yes. Je n'avais pas perdu la main ! (Que l'objet ait été tiré à quelques centimètres de sa cible importait peu, c'était l'intention qui comptait.)

Alors, je me rendis jusqu'à mon clavier, et cherchai sur Google les coordonnées d'un cours de modern jazz, que je ne pratiquais plus depuis des années.

Ensuite, je pris une grande inspiration. J'attrapai mon portable, et commençai à rédiger le texto que je brûlais d'écrire depuis des semaines…

Le temps était venu de retrouver celle qui, elle aussi, avait toujours été là. Celle dont l'audace, à présent, me chatouillait le creux du ventre.

Tu m'as manqué, Ananas.

Welcome back.

Le texte qui suit est une fiction.

Je me souviens...

ISABELLE AUTISSIER

Je me souviens... Toutes les légendes familiales commencent ainsi. La mienne a pour cadre une baie de Bretagne Nord. Les vacances des années 1960 et 1970, quand toute la tribu migrait plus de deux mois (la rentrée se faisait le 20 septembre), depuis la banlieue parisienne : deux grands-mères, une tante, deux parents, cinq filles et un poisson rouge qui crevait immanquablement dans sa bouteille de lait ; deux voitures, la seconde tirant un dériveur en bois qui avait été l'objet de tous nos soins dans le garage. Il brillait de ses sept couches de vernis que le frottement sur le sable et le sel terniraient vite, mais l'important était le regard admiratif des amis, le premier jour. Car il y avait quasiment compétition dans la bande des six ou sept familles (trente-cinq enfants au total !) qui se retrouvaient fidèlement tous les étés.

Papa était du genre scientifique. Il avait été fort marri de n'avoir pas anticipé, lors de la toute première sortie de son fier navire, la présence de roches immergées. Rentrer avec le voilier abîmé lui avait servi de leçon, leçon qu'il se faisait un devoir de

23

nous inculquer : lecture des cartes, calculs de marée, relèvement au compas, connaissance des phares et amers… J'ai appris le calcul vectoriel bien avant qu'il ne soit à mon programme de mathématiques. Ce langage abscons, ces pratiques d'initiés donnaient à nos navigations un côté mystérieux et le sentiment d'appartenance à un groupe, sentiment que les sociologues théoriseront à l'envi quelques décennies plus tard, avec le concept de « tribu ».

Après donc avoir fait mes classes, profitant que papa était passé à une taille de bateau supérieure et que le petit dériveur ne l'intéressait plus guère, je m'instaurai capitaine vers mes treize ans. Époque bénie où des parents laissaient leurs rejetons seuls en mer toute la journée sans se faire traiter d'inconscients. Un vieux mât planté sur la plage était censé porter un drapeau à l'heure du repas, et la faim nous aiguisait souvent la vue même de l'autre côté de la baie. « Nous », car en ces années-là, je partageais tout, et bien sûr la navigation, avec ma meilleure amie, d'un an mon aînée. Un matin, frais et cru comme sait les concocter la Bretagne Nord, nous obtenons le droit de pique-niquer toutes les deux, la grande aventure ! La seule règle familiale était de ne pas sortir de la baie délimitée par un chapelet d'îles. Il y avait là largement de quoi vadrouiller, mais l'interdit n'existe que pour être bravé. Nous voilà donc piquant au large avec le goût du fruit défendu sur les lèvres.

Mes premiers souvenirs de mer ne sont qu'émotions, sens et sentiments : le chatoiement de l'eau, la diffraction de la lumière sur chaque vaguelette comme autant de miroirs ; le sillage moussu ; les glouglous et chuintements contre la coque, le claquement sec d'une vague qui déferle ; l'odeur rassurante de bois et vernis tiédis par le soleil ; les mouvements désordonnés du bateau qui semblait un jeune animal refusant le licol ; les flappements des voiles. La mer est plus qu'un jeu ou un passe-temps estival, plus qu'une aventure, au-delà d'une théorie de la navigation, c'est un tout qui me parle à l'âme, aux muscles, au cœur et au cerveau tout à la fois. Je me laisse emporter, je laisse l'océan me surprendre, développer mes perceptions, aiguiser mes sens, m'ouvrir à mille possibles jusqu'au-delà de l'horizon.

Autant dire que les heures filent sur l'eau comme des plumes dans le vent. À peine un accostage sur un îlot pour dévorer les sandwichs, que nous reprenons la mer. La brise bien établie, le bateau caracole et rien ne nous empêche de viser le cap Fréhel, loin, bien loin de la baie protectrice.

Nous y voilà ! Aussi fières l'une que l'autre de nos talents de navigatrices, paradant sous les austères falaises semées de nids de goélands. Tout là-haut, les touristes sont bien ridicules, sortant de leurs voitures, quand nous avons bravé la mer ! Il est bien dix-sept heures quand nous décidons de faire demi-tour avec déjà l'impression que le drapeau va flotter sur son mât bien avant que nous accostions.

Dans notre enthousiasme, nous n'avons pas intégré une donnée que nous avons pourtant régulièrement observée : à l'approche du soir, le vent tombe. Plus tard, j'apprendrais qu'il s'agit de l'assoupissement de la « brise de mer » engendrée par le soleil. Nous voilà donc en train de traînailler de plus en plus lentement alors que les îles qui délimitent la baie ne sont encore que de vagues formes à l'horizon. C'est sûr, nous allons être en retard pour le dîner familial. Treize ans, peut-être, mais nous ne sommes pas des débutantes ! Nous avons l'habitude de tirer parti de ces brises évanescentes. Le soir rosit, le soleil se diffracte en une grosse boule rouge à l'horizon et nous nous escrimons sur les réglages : un peu de mou sur l'écoute de foc, une grand-voile à peine vrillée pour récupérer le moindre souffle, toutes deux installées à la gîte, presque couchées pour ne pas faire obstacle au vent... Des compétitrices des Jeux olympiques ne seraient pas plus concentrées !

Le silence s'est instauré. Autant par notre concentration que parce que chacune rumine les explications qu'il faudra fournir pour justifier ce retard. Si nous n'avions pas quitté la baie, nous serions déjà rentrées. Plus tard, on me demandera souvent si le mauvais temps en mer est dur à vivre. Pas tant que le calme ! C'est un exercice de patience autant que de tension. Pas une seconde d'inattention n'est tolérée et, pourtant, tout doit se faire lentement, pour ne pas briser le fragile équilibre des voiles. Minuscules poussées sur la barre, infimes réglages, accompagner le bateau qui prend un faible élan, le tenir sur sa lancée, l'accompagner, l'encourager intérieurement :

« Va, petit, là... là... »

Et bing ! Je n'ai pas anticipé l'infime rotation de la brise, j'ai un peu trop serré la grand-voile et le bateau ralentit et se met à clapoter de l'étrave, comme mécontent. J'aime et je déteste ce jeu. J'aime ce sentiment de faire totalement corps avec la coque et les voiles, de retenir ma respiration à chacun de ces microscopiques élans, de ressentir dans chacun de mes muscles la plus petite tension des voiles. Je le déteste à l'aune de mon impatience, de ma nostalgie des chevauchées ventées, des milles avalés, de l'excitation de la vitesse.

Les minutes passent, le silence est impressionnant, à peine un appel de mouette gagnant un refuge pour la nuit, très loin un bruit de voiture, puis… rien. Le petit navire et ses occupantes sont posés à la surface de la mer, à la surface de la terre, à la surface d'une toute petite planète qui poursuit sa route dans un cosmos sans fin.

« Hé ! On recule ! »

Toute à ma rêverie, je n'ai pas remarqué que la côte a commencé à défiler dans le mauvais sens. Pas de beaucoup et même imperceptiblement, comme pour nous faire le coup en douce.

« Le courant ! »

Six heures dans un sens, six dans l'autre, c'est le rythme immuable au large de la Bretagne Nord. Ceci aussi est l'une des leçons que la mer m'apprendra et qui guideront nombre de mes appréciations et choix d'adulte : la nature a ses règles, qui sont faites de physique et de chimie. La terre, dans sa marche, n'a que faire que l'une de ses espèces soit contente ou non, effrayée ou non, en colère ou non. Notre seule perspective est de nous adapter, de faire marcher nos neurones, dont il est dit que les milliards de connexions sont le propre de l'homme, pour nous tirer des situations. Donc, réfléchissons…

« Normalement, le courant est moins violent dans les faibles profondeurs. Si nous nous rapprochons de la côte, il sera moins fort.

— On pourra peut-être même attraper des contre-courants…

— Mais cela va rallonger la route, nous ne sommes déjà pas en avance.

— C'est vrai, mais ce qui compte, ce n'est pas la route, mais le temps pour la parcourir. »

Éternel dilemme des marins, que je retrouverai à échelle océanique lors de mes courses au large. Pour un voilier, la route la plus courte est rarement la plus droite. Cela aussi peut guider une vie.

Infléchissant notre cap, nous voilà pointant vers le Fort-la-Latte. La magnifique forteresse du XIVe siècle pointe ses tours sombres sur le ciel qui a pris cette couleur bleue liquide caractéristique des belles soirées estivales. Nous la connaissons bien, c'est l'un des buts favoris de promenade des jours de pluie. Mais là, dans l'obscurité grandissante, elle prend une tout autre allure. Elle apparaît sinon menaçante, en tout cas mystérieuse. Nous avons beau savoir qu'à cette heure n'y règne que quelque gardien appointé, occupé à redresser les pancartes explicatives que des chena-pans ont pu renverser, nous nous laissons entraîner au rêve. Une dame en hennin va-t-elle surgir au rempart, guettant un amour disparu ? N'est-ce pas l'écho d'un fracas d'armes qui nous parvient ? Ou le gémissement de quelques justes jetés aux oubliettes ? Car, après tout, c'est bien la même mer et les mêmes vents que nos aïeux ont connus, ici, en revenant de la pêche, du commerce ou de la guerre. Immuable océan, qui brouille les années et les époques, toujours indispensable aux hommes et toujours imprévisible.

Notre calcul n'est pas mauvais et nous avons la chance d'un faible coefficient de marée qui modère les courants. Nous reprenons notre marche en avant, à l'allure de l'escargot, mais sans même laisser de trace mousseuse sur l'eau. Les étoiles apparaissent, d'abord falotes lueurs, puis éclatantes. Vénus brille de tous ses feux. Pour passer le temps et calmer notre angoisse, nous jouons à les déterminer. Véga, Deneb, Altaïr, le triangle de l'été... la Grande et la Petite Ourse. Chaque minute s'écoule, plus irréelle que la précédente, dans l'obscurité qui a envahi la mer. Les îles sont maintenant des masses noires que l'on ne devine qu'à la rupture de la bande lumineuse des réverbères du rivage.

Un léger souffle se lève, venant de la terre, comme toutes les nuits d'été, mais bien au chaud dans nos lits nous ne l'avons jamais expérimenté. C'est une meilleure allure pour le bateau qui semble s'éveiller, s'ébrouer et trotter à nouveau gaillardement vers le rivage, comme un cheval revient à l'écurie. Nous nous sentons maintenant des âmes de vraies aventurières. Ainsi, nous voilà, dans la nuit totale, manœuvrant, barrant, guidant notre navire dans les périls de l'obscurité, quand les Terriens bâillent dans leurs cachettes de pierre. À nous le risque, l'incertitude, l'excitation de la découverte ; à eux, la routine, la faiblesse et l'ennui ! Tout cela vaut bien le savon que nous prendrons à l'arrivée et dont nous nous moquons avec application.

Enfin, la plage se précise. Dans un léger raclement, la coque s'immobilise et nous sautons à terre. Déjà quatre silhouettes se précipitent à notre rencontre : deux papas et deux mamans...

« Ha ! Quand même, où étiez-vous passées ? »

Le ton est plus moqueur que grondeur. Ces adultes qui ont foi en leurs enfants, qui savent que l'expérience ne s'acquiert qu'au prix de déconvenues qu'il est vain et même nocif de vouloir éviter ; ces parents, qui sont allés munis de jumelles à la pointe de la baie, ont repéré la petite voile immobile, ont pris le temps de dîner en riant de nos mésaventures, puis se sont tranquillement dirigés vers la plage, ce sont nos parents. Ni cris, ni larmes, ni coups de fil angoissés aux gendarmes, leurs filles sont des marins, ils les ont éduquées ainsi. Il faut malgré tout marquer le coup. Un interdit a été franchi, qui demande réparation.

« Demain, les filles, interdiction de naviguer... avant d'avoir fini tous les exercices de calculs de courant que je vais vous donner ! »

Ainsi allait la vie, il y a bien longtemps, d'une enfant qui fit le tour du monde.

Frontière

LAURENT BINET

Sociologiquement parlant, j'ai vécu une enfance un peu hystérique. En quelques années, je suis passé d'une banlieue pauvre (Garges-lès-Gonesse) à une banlieue riche (Versailles) avant d'échouer jusqu'à la fin de mon adolescence dans une banlieue *middle class* (Élancourt).

Le souvenir qui m'intéresse remonte à ma période versaillaise. À Versailles, précisément, je vivais à la frontière de Viroflay, commune voisine, et quand je dis « frontière », je veux dire littéralement. J'habitais une belle résidence en pierre blanche, modestement dénommée Versailles Grand Siècle, tout un programme et, de ma chambre, j'avais vue sur une cité HLM, la cité Moser, située côté Viroflay. Entre la résidence et la cité, il y avait une espèce de bande boisée, légèrement dénivelée – je vous laisse deviner laquelle, de la résidence ou de la cité, surplombait l'autre –, et surtout il y avait un grillage, qui courait peut-être sur deux cents ou trois cents mètres (mais on sait comment nos cerveaux tendent à dilater nos souvenirs d'enfant).

Or l'école primaire des petits enfants de Versailles Grand Siècle était située sur le territoire de Viroflay, au cœur même de la cité Moser, et pour y accéder, il fallait suivre un parcours qui contournait le grillage, si bien que le trajet pour aller à l'école prenait au moins vingt-cinq minutes à pied, plus d'une demi-heure pour ceux qui vivaient à l'autre bout de la résidence.

C'étaient d'autres temps et, si incroyable que cela paraisse aujourd'hui, la majorité des parents laissaient leurs enfants aller à l'école tout seuls, dès six ans. Il en résultait, tous les matins vers huit heures, une procession interminable de petits gamins qui franchissaient la frontière en effectuant une vaste boucle les menant jusqu'aux portes de leur école, au cœur de Moser.

Et quand je dis leur école, je veux dire littéralement. Cette école s'appelait étrangement Charcot 4. N'y avait-il pas d'enfants à Moser ? Si, bien sûr, il y en avait. N'allaient-ils pas, eux aussi, à l'école ? Oui, ils y allaient. Mais ce n'était pas la même. Eux allaient à Charcot 2.

Je résume pour ceux qui auraient une impression de *Bienvenue à Gattaca* : deux écoles primaires, côte à côte, l'une, Charcot 2, pour les pauvres de Moser ; l'autre, Charcot 4, réservée aux riches de Grand Siècle.

À mon arrivée en CP, je ne me suis pas étonné plus que ça de ces deux écoles jumelles, Charcot 2 et 4. Il y avait deux écoles, il fallait bien être dans l'une ou l'autre, nous n'avions aucun contact avec ceux de Charcot 2, je les imaginais *comme nous*. Et puis, progressivement, j'ai compris. De temps à autre, malgré tout, un élève de Charcot 2 était transféré à Charcot 4 et débarquait dans nos classes. Il avait toujours le même profil : sûr de lui, dominateur, physiquement plus fort que nous, la peau plus basanée, des vêtements bon marché, un peu sale, un peu insolent, et mauvais élève. J'en ai déduit, avec mon esprit d'enfant, que Charcot 2 était une sorte de Mordor, une espèce de chaudron où l'on produisait des gobelins à la chaîne et qu'il ne fallait surtout pas se retrouver là-bas.

En réalité, il n'y avait pas de risque : le transfert ne se faisait jamais que dans un seul sens. Je suppose que pour neutraliser les éléments les plus turbulents, on les envoyait chez les riches où leur mauvaise influence serait négligeable et leur potentiel de perturbation jugulé. Nous étions globalement trop sages, trop propres sur nous pour nous laisser corrompre par un corps étranger aussi exotique.

Je dis « nous » mais, en fait, mon statut n'était pas aussi assuré qu'il en avait l'air. Fils de petits profs, je m'étais retrouvé à Grand Siècle parce que ma grand-mère, secrétaire dans une agence immobilière, nous avait vaguement pistonnés pour nous sortir du ghetto de Garges-lès-Gonesse où j'avais passé mes premières années. Je m'y étais rapidement fait de bons amis, mais ces petits Versaillais ne pouvaient s'empêcher de me rappeler, épisodiquement, mes différences : mes parents étaient très jeunes, pas très riches, divorcés et communistes, ce n'était pas la « Manif pour tous », mais cela suffisait tout de même à me distinguer, alors même que, comme tous les enfants, j'avais soif d'intégration.

Et comme je m'éveillais à une forme troublée de conscience de classe, au fur et à mesure que, jour après jour, j'effectuais ce trajet entre chez moi et l'école, je cernais progressivement les enjeux et la portée métaphorique de cette distribution spatiale : ce que je souhaitais, avant tout, c'était de rester du bon côté du grillage.

Or, un jour, quelqu'un a découvert un raccourci. À la naissance du grillage, au bout de la bande boisée, à quelques dizaines de mètres de l'école, il y avait un mur, d'une hauteur inaccessible pour de petits enfants, sauf à un endroit où un arbre était escaladable : pour les plus dégourdis d'entre nous, il était possible de grimper sur une branche et d'enjamber le mur. L'autre côté étant moins haut en raison du dénivelé, il suffisait alors de sauter et nous nous retrouvions ainsi directement à Grand Siècle, chez nous, en cinq minutes.

Ce raccourci ne fonctionnait qu'au retour, mais chaque jour, à ceux qui décidaient de l'emprunter, il faisait gagner au moins vingt minutes de trajet.

J'aimais grimper aux arbres, je n'aimais pas marcher, j'empruntais régulièrement le raccourci. J'avais l'impression grisante et douce à la fois de m'évader et de rentrer chez moi. C'était une petite aventure quotidienne.

Mais le raccourci est rapidement devenu si populaire qu'il fallait parfois faire la queue au pied de l'arbre pour escalader le mur. Au temps pour l'aventure. Puis une rumeur s'est répandue : il y avait des garçons de Moser qui avaient décidé de fermer le passage. Moi, je n'y ai pas cru. Peut-être ai-je attribué cette rumeur au besoin de réenchanter un passage en voie de démocratisation avancée : il y avait même des filles, désormais, qui l'empruntaient.

Et donc, pendant un moment, j'ai continué à escalader le mur.

Et puis un jour, un garçon de Moser a effectivement déboulé. Plus âgé, plus fort, avec des intentions clairement hostiles : il a annoncé que personne ne passerait plus par là et s'est campé au pied de l'arbre, et je crois qu'à l'époque j'ai pensé à Heimdall, le gardien de la porte d'Asgard. En tout cas, il me faisait très peur. Mais pas au point de renoncer tout de suite. Avec mes amis, nous nous sommes concertés, et nous avons décidé d'attendre un peu : il n'allait pas rester là indéfiniment. Nous avons fait semblant de nous éloigner et puis nous sommes revenus à pas de loup, et en effet il n'était plus là. Alors nous avons fait comme dans *La Grande Évasion* : nous sommes passés l'un après l'autre, silencieusement, comme des prisonniers de guerre à une encablure de la liberté.

Mais quand est venu mon tour, le garçon de Moser a ressurgi. Nous l'avons entendu crier de loin, nous l'avons vu arriver en courant, et le camarade qui me précédait a eu le temps de sauter par-dessus le mur et de s'échapper mais moi, qui étais à une seconde d'être tiré d'affaire, j'étais encore sur la branche de l'arbre et le garçon de Moser m'a attrapé le pied en me sommant de redescendre et ce qui n'était jusquelà que de la crainte s'est alors transformé en terreur pure, j'ai essayé de dégager ma jambe mais sa prise était trop ferme, alors j'ai crié de détresse et je me suis mis à pleurer et, pour ne pas perdre l'équilibre, je me suis laissé glisser en arrière et je suis retombé sur mes pieds mais du mauvais côté du grillage.

Le garçon de Moser n'en a pas fait davantage, il ne m'a pas frappé, je crois qu'il n'a rien dit de plus, il n'avait pas besoin d'ajouter quoi que ce soit, il était juste là, triomphant, et moi je me suis éloigné en pleurnichant et je suis rentré par mon chemin des écoliers, humilié, vaincu, tremblant et seul.

Le lendemain, j'ai longuement discuté de l'épisode avec mes amis qui, fanfarons, m'ont expliqué ce que j'aurais dû faire : « Moi, je lui aurais donné un coup de talon dans le menton ! » Et le camarade de mimer le geste, plein de sa rêverie héroïque.

En réalité, cette petite mésaventure n'a eu aucune conséquence et, au-delà de la vexation infligée, il n'y avait apparemment aucune raison que je m'en souvienne jusqu'à aujourd'hui.

Mais il s'était joué quelque chose de symbolique : tout s'était passé comme si le garçon de Moser avait voulu me garder dans son monde, m'empêcher de rejoindre le bon côté du grillage, le monde des gentils bourgeois bien propres, comme si, pour l'enfant que j'étais, l'enfer m'avait littéralement tiré par les pieds. Peu importe que j'en aie été quitte pour faire le grand tour, sans aucun dommage qu'un peu de retard. J'avais comme senti le monde des pauvres me souffler à l'oreille : « Tu es des nôtres. » Et bien sûr, ce n'était pas vrai non plus. Je n'appartenais ni à Grand Siècle, d'où je suis parti quelques années plus tard parce que ma mère ne pouvait plus payer le loyer toute seule, ni à Moser où la ségrégation socio-culturelle qui s'affichait avec tant de violence ne me concernait pas.

Car ce n'est pas de moi qu'il s'agit dans cette histoire, mais du garçon de Moser. Il m'avait fait peur, c'est vrai, mais j'avais aussi compris ceci : lui allait rester là-bas, et j'aurais pu être à sa place, le hasard seul avait distribué les rôles. Je ne l'ai jamais revu et ne sais pas ce qu'il est devenu. Je ne peux que souhaiter une chose : qu'il ait eu l'idée, un jour, d'escalader le mur à son tour.

Le grand acteur

DIDIER VAN CAUWELAERT

Nous avions dix ans et demi, il m'appelait Bille-de-Clown et moi Face-de-Rat. L'origine de ces sur-noms se perd dans la nuit des temps morts de mon enfance, que jalonnent quelques souvenirs éclairants comme ce dimanche de printemps où, sous les yeux atterrés de mon copain Face-de-Rat – André Féraud, dans le civil –, la pire des hontes me conduisit à l'ad-miration par le biais de la haine.

Cette semaine-là, dans toute la France, était consa-crée aux aveugles. À l'école des Magnolias, sur les hauteurs de Nice, mon instituteur M. Poletti avait demandé un volontaire. Le courageux bénévole se verrait confier une boîte en fer bosselé avec une fente dans le couvercle, ainsi qu'une planche d'autocollants destinée à garnir d'une canne blanche la boutonnière des généreux donateurs. Il s'agissait de faire la quête, quoi. Je levai la main, spontanément. Notre école communale n'était pas mixte, la fille de M. Poletti venait travailler dans notre classe lorsque son institu-trice était malade – ce qui, par bonheur, était souvent le cas – et je ne ratais jamais une occasion de l'éblouir en jouant les mâles dominants du CM1. Je gagnerais une fortune en huit jours, je lui sauverais un maximum d'aveugles, et elle sortirait avec moi quand on serait grands.

Je ne tardai pas à déchanter. Le vendredi soir, j'avais péniblement récolté vingt francs en pièces de cinq, fruit de la générosité clandestine de ma grand-mère et de la parcimonie raisonnée de mes parents, qui, déjà membres bienfaiteurs de l'association pour laquelle j'étais censé lever des fonds, m'encourageaient à sensibiliser les inconnus sur la voie publique plutôt que de me contenter de ponctionner ma famille. Sauf que les passants me contournaient comme un lépreux, dès que j'agitais ma sébile en fer pour faire tinter mes quatre pièces à titre incitatif. Peut-être mon slogan, clamé sur un ton joyeusement racoleur, péchait-il par excès d'optimisme (« Rendez la vue aux aveugles, merci ! »), inspirant du coup une suspicion d'escroquerie. Toujours est-il que la seule obole que je recevais en retour, sur le chemin de l'école comme à la terrasse des cafés, tenait en quatre mots : « On a déjà donné » – ce qui était faux, vu que je ne m'adressais qu'aux boutonnières vierges. Pour ménager mon amour-propre, je dégarnissais ma planche de cannes blanches autocollantes en les fixant discrètement dans le dos des passants, façon poisson d'avril.

Mon dernier espoir résidait dans le week-end. Ça tombait bien : je devais justement le passer chez les riches, à Saint-Paul-de-Vence. Mon oncle et ma tante m'avaient invité, en compagnie de leur filleul Face-de-Rat, dans leur maison proche du village de luxe où pullulaient milliardaires et célébrités. Ça me changerait de mon quartier populaire, où les gens n'avaient pas toujours les moyens de leur bon cœur, comme me l'avait expliqué ma grand-mère pour me réconcilier avec le genre humain.

**

Fort du soutien spontané de Face-de-Rat, qui s'est affublé de lunettes noires pour illustrer la cause dont je m'efforce de remplir les caisses, me voici donc déboulant sur la place de Saint-Paul à la sortie de la messe, le dimanche matin.

« Regarde ! s'exclame soudain mon faux aveugle de démonstration. C'est Machin, là, comment il s'appelle déjà ? Le type qui rentre le chiffon dans les oreilles de Louis de Funès ! »

Je suis la direction de son doigt et, dans une trouée de la foule, j'aperçois effectivement le grand acteur. Tout auréolé de son triomphe dans *La Folie des grandeurs*, Yves Montand pérore au milieu du terrain de boules en expliquant à son partenaire, de sa voix de stentor, pourquoi il aurait fallu qu'il pointe au lieu de tirer :

« La *picaresta*, Lulu, bon sang de merde, ce n'est pas un devoir électoral ! Quand on ne sait pas, on s'abstient ! »

Ovation de ses fans, dirigée contre l'infortuné tireur qui ne sait plus où se mettre. Nous attendons la fin de la partie. Alors, rassemblant mon courage dans la main droite, je traverse le terrain et, présentant ma boîte fendue à la star en bras de chemise, je bredouille :

« Bonjour, m'sieur Montand, c'est pour les aveugles. »

L'interpellé me dévisage, se fige, lâche ses boules et, brusquement, étend les bras dans un geste de tribun qui aussitôt instaure le silence dans la foule.

« Pour *qui* ? » hennit-il dans un rictus.

Je déglutis péniblement. Il me toise comme si j'avais proféré une injure, un gros mot. D'une voix en montagnes russes, j'articule avec le plus de virilité possible :

« Ben… les non-voyants. Pour leur rendre la vue.

— Leur rendre *quoi* ? »

Cramoisi, je sens les regards de la foule converger vers moi. Le silence tendu s'éternise parmi les spectateurs qui retiennent leur souffle.

« Non, mais vous entendez ? les apostrophe brutalement la star de la pétanque. Vous entendez cette ignominie ? »

Des « ooh ! » de moutons de Panurge se rallient machinalement à son indignation.

« Voilà ! enchaîne l'acteur en tapant dans ses mains. Voilà tout ce qu'a trouvé Monsieur Pompidou pour financer la recherche scientifique ! "Rendre la vue aux aveugles" ? Tu parles ! Transformer nos gamins en mendiants, oui ! En mendiants ! »

Et il m'arrache ma boîte à sous, la brandit de droite à gauche.

« Vous trouvez vraiment que c'est un exemple à donner à nos jeunes ? Déjà que le gouvernement vous saigne à blanc, voilà qu'en plus il envoie vos *pitchouns* faire la manche ! C'est pour ça qu'on s'est battus, c'est ça l'héritage de Mai 68 ? Hein, ho ? Vous savez ce que ça mérite, comme réponse ? Vous savez ce qu'on lui dit, au gouvernement ? »

Ma sébile au-dessus de sa tête, il en martèle le couvercle dans un geste obscène qui déclenche les huées de la populace – concentrées sur moi, faute de mieux. Symbole désigné de l'exploitation des mineurs, de la démission des pouvoirs publics et de l'aveuglement social, je serre les dents pour ne pas pleurer. Mon copain André, de son côté, s'est empressé de retirer ses lunettes noires, de peur que la foule ne retourne sa colère contre nous, complices involontaires de la droite racketteuse dénoncée par le militant bouliste.

« Allez, petit, va faire la leçon à tes parents et à ceux qui t'ont volé ta dignité ! me harangue-t-il en me rendant l'objet de ma honte, avec un gratouillis dans les cheveux qui achève de me mortifier. Et qu'on ne t'y reprenne plus ! »

La tête basse, André et moi repartons à travers le troupeau qui s'écarte en applaudissant le donneur de leçons du terrain de pétanque. Je planque la boîte en fer sous mon pull. Plus question de mendier le moindre centime, dans ces conditions. On n'en veut pas de votre pognon, salauds de riches !

Durant les deux kilomètres de soleil plombé sur la route des Gardettes, on ne décolère pas. On imite Montand, on se répète sa diatribe en le caricaturant, on le ridiculise à notre tour pour essayer de reprendre le pouvoir sur notre humiliation publique. Plus on écume, plus on se soulage.

« Mais quel débile !

— Et quel radin !

— Plus jamais je regarderai ses films !

— Il a raison, de Funès : des coups de pied au cul, c'est tout ce qu'il mérite !

— Et ses chansons de merde, je lui ferai bouffer les cassettes !

— Moi, j'espère qu'il va se prendre une boule dans la tronche, ce connard !

— Dans les yeux, tiens ! Ça lui apprendra à se foutre des aveugles ! »

De retour à la maison, on fait contre mauvaise fortune bon cœur. On répond aux questions avec des grimaces de sourire. Oui, oui, ça s'est très bien passé, on est ravis, qu'est-ce qu'on mange ?

« Ils ont été généreux, j'espère, les Saint-Paulois ! claironne ma tante. Surtout le jour du Seigneur ! »

Histoire de vérifier, elle prend la boîte en fer, ouvre le couvercle. Alors, le ciel nous tombe sur la tête. Muets de stupeur, André et moi fixons les trois billets de cinq cents francs pliés au-dessus des quatre pièces de monnaie. Sous le couvert de sa harangue, le comédien, avec une dextérité de prestidigitateur, avait dû les glisser dans la fente au moment où il feignait de sodomiser la sébile.

***

J'ai revu Yves Montand en 1988. C'était à l'avant-première parisienne de *La Maison assassinée* de Georges Lautner, le premier film auquel j'avais collaboré. Cette fois, c'est lui qui se dirigea vers moi. Tandis que je posais pour les photographes avec Patrick Bruel – copain de service militaire pour qui j'avais écrit le rôle principal –, le vétéran du box-office, qui venait de s'illustrer dans le Papet de *Jean de Florette*, me lança à la cantonade :

« Très bien, de confier les dialogues à un jeune ! Enfin la Gaumont nous sort un film digne de ce nom ! »

Pour la seconde fois, à dix-sept ans de distance, Montand m'apostrophait en présence d'un pote tout en prenant l'assistance à témoin. Est-ce cette impression de *remake* qui fit monter dans ma gorge des mots irrattrapables ? En voyant le grand acteur m'utiliser comme prétexte pour dénoncer, à présent, non plus les carences de l'État face au problème des non-voyants, mais l'aveuglement des instances cinématographiques qui, beuglait-il, « ne produisaient d'habitude que des pitreries pour vieux bourgeois, au lieu de nous donner des films au discours social si moderne », l'enfant blessé de Saint-Paul-de-Vence se réactiva soudain en moi, et je m'entendis répondre à ses compliments d'une voix aussi tonitruante que la sienne. En quelques phrases, je lui rappelai notre première rencontre, et le remerciai de sa générosité honteuse tout en lui reprochant son sadisme. Comme lui, je m'appuyais sur l'auditoire entre chaque phrase, avant de replonger dans ses yeux.

« Était-il vraiment nécessaire, monsieur Montand, d'humilier deux gamins pour briller sur leur dos, tout en les gratifiant à leur insu du plus beau des cadeaux ? C'est ainsi que vous êtes devenu mon acteur préféré, pour mille cinq cents francs, mais vraiment il n'y avait pas de quoi être fier. »

Visiblement, l'époux de Simone Signoret avait totalement oublié cette anecdote du terrain de boules.

Mais il s'y intéressa, les yeux brillants, comme si je lui racontais une jolie scène qu'il se réjouissait de tourner dans un film à sa gloire. Au lieu de me demander pardon rétrospectivement, il me dit bravo.

« Pensez à moi pour votre prochain scénario », conclut-il avec une tape sur mon épaule, avant de regagner le buffet.

Yves Montand est mort à la page 67 de l'histoire que je lui écrivais sur mesure. Nouveau tour de cochon. Mais sans compensation, cette fois.

La dernière lecture[1]

MAXIME CHATTAM

Deux rayons obliques tranchaient la longue pièce depuis les fenêtres. Ils capturaient dans leur sillon les particules en suspension, dessinant deux lames dorées tout droit venues des cieux pour apporter un semblant de vie dans cet endroit qui m'avait toujours effrayé, depuis mon plus jeune âge.

Ce jour, tandis que je poussais doucement la lourde porte en chêne et que la poignée de laiton en forme de patte de lion grinçait au moment où je la lâchais, je n'avais pas encore tout à fait douze ans et, déjà, me tenir sur le seuil de cette perspective tout en clair-obscur était un exploit puisque j'étais seul. Ma grand-mère rassemblait à travers toute la campagne les meilleurs ingrédients nécessaires à l'élaboration de son pot-au-feu légendaire pour le dîner et elle m'avait laissé

---

1. Ce texte a été rédigé tandis que j'écoutais en boucle la chanson « Épilogue » écrite par Dario Marianelli pour la musique du film *Everest*. Je vous conseille fortement de vous la procurer et d'en faire autant pendant la lecture de cette nouvelle, dont le rythme et l'émotion sont entièrement liés à cette mélodie (Note de l'auteur).

sous la surveillance de mon grand-père, ce qui revenait à peu de chose près à me laisser livré à moi-même.

Mon grand-père était un homme étrange. Un être aux mille vies, au moins. Mais la principale, celle qu'il menait dans leur vaste manoir perdu au bout d'une route isolée, celle dans laquelle il était l'époux de la mère de mon père, celle où il avait une enveloppe charnelle à sustenter et quelques vagues devoirs à accomplir régulièrement, celle-là, bien qu'essentielle, semblait être celle qui l'intéressait le moins. Mon grand-père préférait de loin toutes les existences fantasmées qu'il endossait par le prisme des livres qu'il engloutissait aussi souvent que possible. Certaines personnes vivent pour donner un sens à ce qu'ils sont, à leur éphémère trajectoire, lui, ne respirait que pour être quelqu'un d'autre.

Aussi loin que ma mémoire me porte, je l'ai toujours connu avec un livre dans une main, au pire : glissé dans la poche de son gilet ou à l'arrière de son pantalon. Je ne crois pas qu'il ait passé un seul jour de toute sa longue vie d'adulte sans lire au moins quelques pages et cela le rendait aussi lunaire qu'on peut l'imaginer. Car lorsqu'il ne dévorait pas ces histoires addictives, on pouvait aisément constater qu'il y songeait, arpentant de son imagination des paysages envoûtants, se refaisant les conversations les plus savoureuses, méditant à ce que le roman racontait, mais aussi à tout ce qu'il ne disait pas clairement et qu'il fallait deviner soi-même.

Dans la famille, mes oncles et tantes le surnommaient « Bartleby » et j'avoue que pendant des années je n'ai pas bien compris pourquoi, sinon qu'il s'agissait d'un clin d'œil à un livre qu'ils avaient tous lu sur ses conseils. Car mon grand-père était de ces amoureux du livre qui veulent partager leur passion. Il en offrait à tout le monde, tout le temps ; c'était un vieux monsieur pensif, que d'aucuns qualifieraient même d'« éteint », mais lorsqu'il vous parlait d'un roman, ce n'était pas une lumière qui s'allumait brusquement dans son regard mais tout un lustre, et il soliloquait jusqu'à ce qu'il n'y ait plus personne dans la pièce pour l'écouter, alors il retournait à ses précieuses pages.

Mon grand-père était donc une sorte de fantôme, n'apparaissant que pour transmettre ses messages, s'étiolant ensuite pour redevenir cette présence éthérée propre aux lecteurs absorbés.

Le parquet gémit sous mes pieds, tandis que je me tenais sur le seuil de la bibliothèque. C'était son antre. Tout en acajou, ses entrailles multicolores fourrées jusqu'à l'excès de tous les ouvrages que « Bartleby » avait pu colliger au fil des décennies. Des longs tapis persans d'un bordeaux sombre prolongeaient cette mosaïque de couleurs, entrecoupée ci et là d'un crapaud, d'une méridienne et chesterfields, capitonnés de velours pour les uns et de cuir pour les autres. Quelques lampes aux abat-jour ocre ornés de festons de perles noires étaient disposées près des fauteuils pour pouvoir lire à toute heure du jour et de la nuit, d'autant qu'il faisait toujours sombre dans cette pièce ; mais aucune n'étincelait à cet instant.

Les deux lames diaphanes qui pénétraient dans la bibliothèque par les étroites fenêtres en cette fin de matinée étaient ce qui se faisait de plus lumineux et joyeux dans ce sanctuaire qui ressemblait davantage à un décor de film d'horreur en noir et blanc qu'à un lieu de culture.

Je fus cerné par l'odeur de renfermé, de la poussière, et de celles de ces milliers de livres, parfums de colle, de couverture moisie, de toiles imprégnées de pollens anciens, de fumées oubliées, tachées de doigts sales, fouettées par un million de respirations aux haleines multiples, les arômes si reconnaissables de cette pièce.

Mon grand-père n'avait pas d'habitudes lorsqu'il venait se réfugier ici, il errait seulement en quête d'une bonne lecture avant de prendre le siège le plus proche, aussi je ne savais pas exactement où le trouver. J'étais aveuglé par le contraste entre l'obscurité principale et les deux diagonales de soleil, comme si une lutte terrible s'opérait en silence entre les ténèbres de la matière et la lumière céleste.

Je venais de me couper en ramassant les fragments d'un verre qui m'avait échappé, et j'avais besoin de son aide pour me dire où se trouvait la trousse à pharmacie. Je savais que ma grand-mère en gardait une bien garnie quelque part, et il me fallait un pansement pour éviter de mettre du sang partout et puis aussi, il fallait l'avouer, pour me rassurer. La coupure était assez superficielle et j'étais parvenu à arrêter la petite hémorragie en immobilisant mon index dans un carcan d'essuie-tout, mais je craignais que ça recommence à l'instant où j'ôterais mon étui improvisé.

« Grand-père ? » dis-je en me penchant.

Ma voix me parut étouffée, avalée par les hautes rangées de livres.

Ravalant ma gêne, je pris une inspiration aussi profonde que possible et m'avançai timidement sur l'épais tapis. Je n'arrivais pas à comprendre pourquoi je me sentais si mal chaque fois que je venais entre ces murs, sinon que le poids de toute cette connaissance m'impressionnait énormément. Chaque page était un peu du savoir d'un être, un peu de ses sentiments, de sa création. De sa vie. Beaucoup étaient morts, mais leurs mots survivaient ici, tel le prolongement de leur âme éternelle. C'était comme de marcher sous mille regards plus brillants que je ne l'étais, j'avais presque peur qu'ils se penchent tous sur moi et finissent par tomber et m'ensevelir sous des tonnes de livres poussiéreux. Je fis quelques pas en manquant d'assurance, surveillant les étagères et scrutant la pénombre au-delà des fenêtres. Le parquet grinçait sous les tapis.

Je le vis assis dans son fauteuil Napoléon, avachi, et je sus de suite qu'il s'était passé quelque chose.

Grand-père avait les bras ballants par-dessus les accoudoirs, les jambes tendues, il avait un peu glissé, le torse ramassé, le visage penché, rentré entre les épaules. Sa chemise luisait d'un rouge humide. Son dernier livre renversé au sol, sous sa main.

Je m'approchai, hypnotisé, toute peur dispersée, je savais déjà que la mort s'était envolée avec mon grand-père, il ne restait plus qu'une fascination morbide, l'incrédulité faisant encore barrage aux émotions, aux larmes, à la détresse.

Une fragrance lourde flottait tout autour de lui, ferreuse, organique.

Sa gorge était ouverte, je devinai un lugubre sillon vermillon qui n'aurait jamais dû se trouver là, mais son cou disparaissait largement sous son menton affaissé, me protégeant du pire. Grand-père égorgé.

Chacun réagit avec ses propres réflexes face à la brutalité d'un tel choc, moi, ce fut avec une logique implacable. J'ignore d'où elle me vient, mais j'ai toujours préféré Sherlock Holmes au commissaire Maigret que je trouve trop imprégné par son instinct, pas assez par un sens impartial du raisonnement analytique pur. Avec le recul, je pense pouvoir dire que je suis ainsi constitué : lorsque c'est possible, je préfère disséquer les émotions plutôt que de les laisser m'envahir.

J'ai aussitôt constaté qu'il n'y avait aucune arme à proximité, ni près de mon grand-père ni dans les replis entre lui et son fauteuil.

L'horreur explosa sous mon crâne en quelques lettres.

MEURTRE.

Je posai une main sur la joue de mon grand-père, un frisson me fit trembler jusque dans mes chaussures. Il était encore tout chaud, presque vivant. Vivant à un adverbe près.

Je serrai les mâchoires, de colère, de stress et d'injustice.

Ses paupières mi-closes laissaient deviner ce qu'il lui restait de regard, une frange de son intimité dans ses derniers instants, c'était là que tout s'était éteint pour lui, le rideau n'avait pas eu le temps de tomber jusque sur la scène que les ténèbres l'avaient happé. Je frissonnai encore, dérangé par ce spectacle.

Puis je compris ce que cela signifiait : l'assassin se trouvait probablement encore dans le manoir, peut-être même dans la bibliothèque, avec moi.

J'étais monté par l'unique accès, les fenêtres étaient fermées et j'avais filé un peu rapidement jusqu'ici dès le corps de mon grand-père aperçu, sans réellement examiner chaque recoin, ni sous les lourds rideaux doublés ni derrière les meubles. L'immense cabinet d'ébène qui servait de bar pour les cognacs et les liqueurs de mon grand-père pouvait largement dissimuler un homme. Tout comme le piédestal qui trônait dans mon dos et sur lequel le buste de Shakespeare ne manquait assurément pas de me toiser. Et que dire de la vitrine tout en longueur où grand-père rangeait sa collection d'animaux empaillés ? N'y avait-il pas la place là, entre les yeux de verre des furets, des renards ou des mouffettes, ou sous le trophée de sanglier ou le massacre de cerf, pour un meurtrier me fixant de ses prunelles froides, attendant le bon moment pour ajouter ma tête sous les ailes déployées du corbeau lugubre ?

Je n'avais rien pour me défendre, pas même un peu de courage.

Le bois de la bibliothèque craqua, comme à son habitude, mais cette fois ce n'était pas l'usure, je le devinais, c'était mon meurtrier qui déployait ses membres de sa cachette pour fondre sur moi, telle une araignée qui sent les vibrations d'une proie capturée dans sa toile.

Ma respiration s'accéléra, mes lèvres s'ouvrirent, je scrutai ma périphérie immédiate, incapable de bouger.

L'odeur prégnante du sang se fit plus étourdissante encore.

Qui cela pouvait-il bien être ? Quel genre de monstre s'introduisait ainsi chez les gens pour leur passer le fil du rasoir sur la fine peau de la gorge jusqu'à libérer des flots de vie ? Mon grand-père n'avait aucun ennemi. C'était un lecteur, pas même un critique, il ne pouvait froisser personne sinon quelques pages par jour. C'était un homme de secrets certes, mais jamais les siens, exclusivement ceux des autres, et à condition que ceux-ci soient fictifs. Il sortait peu, parlait encore moins aux inconnus. Il y avait bien ce nom qu'il répétait souvent, un voisin ou une lointaine connaissance qui ne m'avait jamais été présentée, un certain Aloïs, dont il parlait régulièrement à ma grand-mère, mais le ton sur lequel il l'employait ne m'incitait pas à le considérer comme un véritable adversaire. Je sentais qu'il s'agissait là plutôt d'une de ces confidences que les adultes murmurent dans le dos de leurs enfants lorsqu'il s'agit de sujets que les plus jeunes ne sont pas en âge de comprendre.

Non, plus j'y songeais, plus j'étais sceptique. Il n'existait aucun être vivant sur cette planète capable d'en vouloir à mon grand-père. Cela n'avait aucun sens.

Qu'avait-il pu faire récemment pour déclencher un tel déferlement de rage ?

Lire. Il lisait encore plus ces dernières semaines qu'à l'accoutumée, c'était dire ! Je le savais fatigué, peut-être soucieux.

Soudain, un détail me revint en mémoire.

Je m'étais étonné de le voir avec le même livre dans la main pendant au moins dix jours. Ce n'était pas dans ses habitudes, lui qui en enchaînait au moins une demi-douzaine par semaine, lorsqu'il était en petite forme.

Ce souvenir me fit me redresser, j'étais si terrifié un instant plus tôt que je me tenais voûté, prêt à encaisser le coup fatal.

La bibliothèque gémit à nouveau, et cette fois je reconnus le sifflement du vent au-dehors.

Grand-père n'aurait pas conservé le même ouvrage sur lui pendant si longtemps sans une bonne raison. Fallait-il y décrypter un message ? Le titre était-il le sésame de cette énigme à l'issue tragique ?

Je n'en étais pas sûr. Parce que plus j'y pensais, plus l'évidence trottait dans mon esprit.

Le marque-page.

Bartleby les collectionnait, de toutes les formes, en acier, en os, en plastique, du moment qu'ils étaient là, au bon moment, pour venir se glisser entre les pages comme le jalon d'un temps imaginaire.

Le marque-page ne bougeait pas. Je m'en souvenais très bien à présent. J'avais été surpris de constater qu'il était constamment disposé quelque part proche du début du roman.

Grand-père lisait et relisait éternellement les mêmes pages.

Quel secret dissimulaient-elles ? Pourquoi fallait-il qu'il s'en use les rétines au point de les connaître par cœur ?

Une évidence s'imposa, aussi nettement qu'une certitude.

Mon regard tomba sur le livre renversé.

L'arme du crime.

Je m'accroupis pour en distinguer le tranchant des pages. Le papier avait bu le sang comme s'il n'avait plus assez d'encre pour exister. Non sans une ironie déplacée, j'en vins à me dire que d'une certaine manière, grand-père s'était accompli dans son dernier geste, il s'était en partie transféré dans un livre.

Il en fallait de la volonté pour en finir ainsi. Un acharnement à la hauteur de son refus de continuer. Une obsession de mort.

Aujourd'hui encore, je continue de penser qu'il n'y avait que lui pour en être capable, tendre les pages entre ses doigts et s'entamer la gorge ainsi, c'était un geste fou, celui d'un homme malade.

Mais pouvait-il survivre plus longuement tandis que son cerveau dépérissait à petit feu, que sa mémoire se gangrenait au point qu'il n'arrivait plus à se souvenir de ce qu'il venait de lire quelques heures plus tôt ? Pas lui, assurément. Pas lui.

Mon grand-père s'est éteint au milieu de ses compagnons les plus fidèles lorsqu'il a su qu'il ne pourrait plus jamais atteindre la fin d'un livre.

Je lui ai effleuré les paupières et, doucement, j'ai terminé de les clore. Je lui ai déposé un baiser sur le front, j'ai remis le livre sur son ventre, disposé ses mains sur la couverture et je suis reparti en prenant soin de refermer les portes de son tombeau.

Depuis ce jour, je n'ai plus peur des bibliothèques, encore moins du savoir qu'elles détiennent. À ma manière, avec les mots, je lutte contre les ténèbres qui les entourent, et il ne se passe pas un jour où je n'écris pas quelques pages en songeant à mon grand-père. Il est ma lumière.

Ce vieux monsieur qui est mort de ne plus pouvoir lire.

Et je médite à celles et ceux, de par le monde, qui n'ont pas ce privilège.

Lire.

Les racines de l'Hêtre

Matthieu Chedid

Dans ma jeune **enfance**,
avec ma grande sœur Émilie,
mes parents Marianne et Louis,
un chat gris à la patte blanche baptisé Chaussette
et un lapin du nom de Mélissa,
j'habitais à la campagne,
à une grande heure de route de Paris.
Malgré ce havre de paix, cette bulle familiale,
j'avais un autre refuge, un monde intérieur,
un monde merveilleux qui me sauvait de mes peurs.
J'aimais faire des balades imaginaires,
des promenades dans ma tête, mêler réel et rêverie,
une sorte de « rêvalité » souvent remplie
de **superhéros**.

À cette époque, j'ai d'ailleurs rencontré une légende.
C'était à l'école maternelle,
dans un village près du hameau où nous vivions.
Tous les écoliers étaient là réunis sous le préau,

la veille des vacances scolaires,
quand soudain apparut la « rock star ultime »,
le père Noël en chair et en os.
Une émotion incommensurable
vient me chercher chaque fois que j'y pense...
L'extase quoi !
Cela se reproduisit quelques années plus tard
quand je découvris Superman au cinéma.
Après le film, je me revois courir, le poing en avant,
une vraie transmutation intérieure, j'étais devenu lui !

Mais ma plus folle émotion d'enfance reste
celle que je vais vous raconter maintenant...
C'est à peu près dans ma période « Supermatt »
que survint un événement incroyable.
Lors d'une balade à vélo,
sous une pluie fine fort agréable,
je fus saisi par une image qui me figea !
Je me souviens encore de cet appel
face à la dignité de l'arbre déraciné,
couché sur cette plaine embrumée,
une aurore de l'hiver 1979. Pas n'importe quel jour,
le jour de mon anniversaire.

Comme devant une apparition, j'étais fasciné
par tant de beauté, mes yeux d'enfant
laissant couler des larmes de vent
sur mes joues érubescentes et mafflues.
Mais pourquoi m'étais-je arrêté ?

Ce jour-là,
je ressentis ce qu'« être » signifiait.
Je n'avais sûrement pas les mots
mais le cœur, lui, vibrait comme jamais.
Si aujourd'hui je mettais des mots
sur ce sentiment profond,
je parlerais de « l'âme hors »,
la mort des apparences.

Ce jour-là,
j'ai compris que nous n'étions
rien sans nos racines,
même si, pour rester en vie,
elles doivent être cachées,
dissimulées, reliées à la terre.
Là sûrement est le problème !
Comment se rappeler ses racines si on ne les voit pas ?
Dans ce monde d'apparences, « hors sol »,
y a-t-il une place pour l'invisible ?
Avons-nous tendance à oublier ce qui n'est pas sous
nos yeux ?

Ce jour-là,
j'ai compris que paraître n'est rien,
que nous sommes sur cette terre pour « être »,
qu'il n'y aurait pas d'arbres sans racines,
pas de fruits sans branches,
rien sans la transmission…

et que, si je suis un fruit,
je dois chérir les racines de l'arbre qui me porte.
Naître, c'est devenir ce fruit,
ce fruit vert qui rougit.
Dans « naître »
n'entend-on pas « ne pas être »,
une négation de l'être ?
Paraître, en somme !
Alors quand on naît, on est quand ?

Ce jour-là,
J'ai remarqué, grâce à une éclaircie
somptueuse dans la trouée d'un nuage
en forme de visages rigolos, que les ombres
des branches étaient semblables à celles des racines,
qu'il y avait symétrie, analogie, polarité,
que les extrêmes se confondaient,
c'était une évidence.
La fin était le début, un éternel retour !

Ce jour-là,
à cet endroit,
un envers des choses s'ouvrait à moi,
malgré la brume de plus en plus épaisse,
comme pour adoucir une réalité
trop belle pour mon âme...
Cette brume, c'était quoi ?
De l'eau dans l'air ?

De l'Or qui nous rappelle
que rien n'existerait sans l'eau, sans l'air.
Ni arbres, ni racines, ni plaines,
ni même moi pour admirer cet apogée d'Amour.
À cet endroit, il y avait même l'envers...
La bonne heure sans doute...

Ce jour-là,
j'ai compris qu'il fallait persévérer,
ne pas s'arrêter à la surface des choses...
Percez... et vous verrez !
Je vis, dans ce tronc allongé, comme un autre secret,
celui du chemin parcouru, du temps qui passe, qui
accélère...
Puis je me suis souvenu que
normalement cet arbre n'est pas couché
comme une « personne alitée »
mais bien debout
comme une « personne alignée ».
Sortir de terre pour toucher le ciel !...
N'est-ce pas mon but ultime,
caresser les étoiles ?
Quand on nous enterre, ne dit-on pas que l'on va
au ciel ?...

Comme pour me rappeler cette langue des oiseaux
chère à mon cœur,

comme pour fêter cette découverte, cette rencontre
capitale,
voilà qu'une symphonie sauvage
s'est mise à retentir dans les sous-bois voisins...
« Hêtre ou ne pas Hêtre »,
j'avais ma réponse.

Pour le dehors, le dedans..., pour l'après, pour
l'avant...
Malgré mon amour inconditionnel
pour les superhéros,
je compris,
ce jour-là,
que le plus fondamental n'est pas dans le visible
mais dans l'invisible...
J'ai su déchiffrer ce message,
sortir de la crypte l'âme
d'un hêtre déraciné par le vent...
Les tempêtes sont parfois nécessaires
pour faire jaillir en nous
une vérité profondément ancrée.

Et si l'hêtre c'était moi ?
L'être en moi
L'être en je
étrange !...

Ce bout d'écorce brun foncé
dans ma poche,
c'est ce souvenir impérissable,
toujours là, qui m'accompagne...
Celui d'un hêtre pourpre,
le *Fagus sylvatica.*

« *Du grand Arbre !* »,
aurait dit Chaussette !

Février 2016

L'ange du Barrio Flores

PHILIPPE CLAUDEL

Dans le Barrio Flores, on ne savait jamais vraiment quel jour on était, ni même en quelle saison on se trouvait. Lorsqu'on est très pauvres comme nous l'étions tous, la saison ou le jour, ça n'a pas beaucoup d'importance. Et puis le soleil dans le ciel avait toujours la même force, et chaque jour il déversait sur nos crânes une identique chaleur, pâteuse comme une lave. Ce n'est que vers le soir, lorsque fatigué d'avoir joué son grand carnaval il commençait un peu à perdre de sa force et chutait dans le ciel, que la vie dans le Barrio redevenait possible. C'était alors une belle heure qu'on appelait *la hora suave*. Une partie des peines du jour étaient déjà derrière nous. La nuit ne tarderait pas trop à venir et avec elle le bon sommeil qui nous prenait la main et nous amenait dans des rêves où nous pouvions manger à notre faim, être des princes, des rois, des demoiselles aux joues roses, et ne plus avoir ce grand creux qui nous travaillait le cœur et l'âme.

Lorsque la nuit peu à peu prenait possession du Barrio, nous, les enfants, nous courions en chantant dans les rues tandis que sur le devant des cabanes, les hommes et les femmes sortaient des caisses et de vieilles chaises rafistolées, s'asseyaient dessus et trempaient leurs paroles dans l'air devenu doux, et leur langue dans des verres de *demonio*, une boisson que les frères Zacopesto – Emilio, Sancho et Bigan, qui était un nain haut comme trois figues – fabriquaient selon une recette connue d'eux seuls, à base de peaux d'orange fermentées, de sucre de canne et d'une inépuisable cargaison d'alcool à brûler qu'ils avaient récupérée un jour d'un navire soviétique abandonné par tout son équipage qui avait cru trouver chez nous la liberté qu'ils n'avaient pas chez eux.

Les malheureux ! Je ne sais pas trop ce qu'ils sont devenus ces marins du bout du monde, le seul que nous avons connu, parce qu'il venait de temps à autre dans le Barrio en tendant la main, sans comprendre que c'était le dernier endroit de l'univers pour venir mendier, c'était un grand gaillard aux yeux très bleus et dont les immenses oreilles avaient la forme des petites galettes de maïs que faisait cuire Inès Galantero dans son four de fortune. On avait bien essayé de lui expliquer que mendier chez nous, c'était comme espérer trouver la mer au milieu du désert, mais *Stalineto* – le curé Fiscalo qui savait un peu le monde et les choses l'avait surnommé ainsi – nous regardait avec ses yeux devenus fous, et baragouinait des mots de chez lui, des mots qui faisaient un bruit de caillasse qu'auraient mâchouillée les grandes lèvres d'un cheval. On ne le comprenait évidemment pas.

Les jours amenaient ainsi dans le Barrio leur cortège monotone de maigres surprises et de misère, sous un ciel qui ne changeait jamais de vêtements et se lavait peu – c'est Pepe qui disait cela, sans doute pour justifier que notre toilette à nous n'était guère plus fréquente. Le seul moment de l'année où le Barrio vibrait et sortait de son ordinaire, c'était lorsque le curé Fiscalo passait de baraque en baraque pour nous dire que bientôt ce serait Noël et qu'il fallait nous préparer.

L'église du Barrio était le seul bâtiment du quartier à ne pas être fait de tôles et de morceaux de bois mais de vraies pierres, de grosses et solides pierres surmontées d'un toit de tuiles et d'une croix en fer sur laquelle toujours se reposaient deux ou trois cormorans. Le père Fiscalo avait beau leur jeter des cailloux et des insultes pour les faire s'envoler, les grands oiseaux ne bougeaient pas. À peine de leur œil rond regardaient-ils de temps à autre le curé s'agiter dix mètres plus bas, et quand celui-ci devenait vraiment menaçant, ils laissaient choir de grandes fientes vertes et jaunes qui s'écrasaient autour de lui et parfois même sur sa tête. Le curé avait beau les traiter de « *hijos de puta* » et les menacer de l'Enfer, les oiseaux, qui n'étaient pas plus bêtes que nous autres, savaient bien que l'Enfer, ils y étaient déjà.

Il aimait bien parler le père Fiscalo, et nous, on aimait bien l'entendre. Sa chaire, c'était un escabeau branlant volé jadis dans un chantier et sur lequel il se perchait pour nous dominer un peu. Avec sa salopette couverte de taches qu'il ne quittait jamais, dont les poches étaient bourrées de vieux boutons, de morceaux de ficelle, de boulons, de clous, de bouteilles en plastique et d'une bible usagée dont il avait déchiré les pages qui ne lui plaisaient pas, il avait des allures de garagiste, et quand on le lui faisait remarquer, il nous répondait que ce n'était pas faux, qu'il était en effet une sorte de mécanicien, de mécanicien des âmes, mais que, hélas, il lui manquait souvent des outils pour les réparer convenablement.

Chaque fois que c'était Noël, Pepe ressortait mes ailes car dans la crèche, j'étais l'ange. Un ange un peu sale, avec les joues un peu trop brunes, les genoux couronnés de croûtes et les cheveux frottés de crasse, mais un ange tout de même. Les ailes, Pepe me les avait fabriquées à l'aide de papier journal qu'il avait collé patiemment avec sa salive sur de grandes armatures tressées en fil de fer. De Noël en Noël, quand une des ailes venait à crever, Pepe découpait un morceau de journal et réparait la blessure de papier avec une méticulosité religieuse. Elles étaient somptueuses, d'une forme délicate, pleines d'informations météorologiques, de résultats sportifs et de faits divers sanglants, de graphiques boursiers et de publicités. Je m'en souviens d'une notamment, sur mon aile gauche, où on voyait une superbe femme blonde à demi dévêtue qui donnait son numéro de téléphone et invitait à l'appeler afin de passer avec elle, et seulement pour quelques dollars, « *la mas calda de las noches* ». Il faisait tellement chaud dans le Barrio, même la nuit, que je ne comprenais pas pourquoi on pouvait souhaiter qu'elle le soit davantage et payer pour cela.

Quand nous marchions vers l'église pour la Noël, les ailes accrochées à mon dos faisaient un battement souple, une mélodie jolie de bruissements et de souffles retenus, comme si derrière moi, tout contre moi, des créatures invisibles chuchotaient amoureusement et se riaient l'une à l'autre.

« C'est la musique des anges, mon Miguelito, la musique des anges. Et tu es un des leurs !

— Ils sont blonds les vrais anges, Pepe.

— Ne sois pas bête ! Ça dépend des pays ! Chez nous, ils sont plutôt noirs de cheveux et de peau aussi. Qu'est-ce que tu crois, le soleil, il ne fait pas de quartier, il cogne aussi pour eux tu sais ! »

La première étoile ouvrait au ciel ses paupières d'argent. Nous devions nous dépêcher. Pepe avait tenté de nous débarbouiller et de nous coiffer, sans grand succès, avec un peigne édenté. Il avait nettoyé ses ongles avec un clou et nous avait parfumé la nuque en frottant dans ses mains puis contre notre peau trois feuilles de menthe fraîche. La menthe fraîche. Noël avait ce parfum, et il l'a toujours pour moi, aujourd'hui encore que je suis si loin du Barrio de mon enfance, à tracer ces petits mots sur une feuille, que le temps a emporté les visages, que j'ai traversé des mers et des terres, que j'ai avancé dans la vie à la façon d'un caillou dans le lit d'un torrent.

Le père Fiscalo s'agitait comme un mille-pattes. L'église était pleine de tous les gueux du Barrio, femmes, hommes, gamins, vieillards. On riait. On buvait et on mangeait. On buvait et on mangeait la même chose que tous les jours, c'est-à-dire pas grand-chose, mais là, on le faisait ensemble, dans la petite église qui nous pressait les uns contre les autres, comme si ses gros murs pelés avaient été des bras, et nous tous des enfants.

« Bordel de Dieu, Pepe ! Qu'est-ce que tu fous ! Tu me l'amènes ton ange ! hurlait le père Fiscalo dont c'était le grand soir.

— Tu ne parles pas comme cela de mon Miguelito, lui répondait Pepe qui écartait la foule pour protéger mes ailes, un peu de respect, Padre !

— Du respect, tu sais bien que j'en ai, et pour toi et pour le petit, et ce n'est pas pour rien que je l'ai choisi pour faire l'ange, allez viens, Miguelito, on est en retard, il ne manquait plus que toi ! »

Je suivais le père Fiscalo qui sentait la sueur et le cambouis, et aussi un peu le *demonio*. La crèche était au fond de l'église. Des dizaines de boîtes de conserve contenant de l'huile et une mèche étaient disposées autour d'elle. Les flammes bondissaient dans les courants d'air et jetaient sur la scène de la Nativité des lueurs chaudes, mobiles et caressantes.

L'âne, c'était un chat obèse surnommé *Pichinaco*, presque aussi gros qu'un petit cochon, qui appartenait à une des trois sœurs Bompassino. Le chien de Salvo Beixin faisait le bœuf. Il n'en avait pas la taille, mais il était tout de même énorme. Sa grande langue rose et pendante touchait presque le sol et de temps en temps, il la frottait contre le mollet de Gaetano le muet, qui tenait le rôle de Joseph. Celui-ci bougonnait pour la forme, mais finissait par caresser les flancs du gros chien qui n'aurait pas fait de mal à une mouche ni même à un moustique, ni même à une puce, et d'ailleurs, des puces, son vieux poil en était plein. Gaetano avait été choisi car il avait beaucoup de prestance et la plus belle barbe du Barrio, une ample tignasse de poils frisés bruns mêlés de filaments de grisaille, ce qui donnait à son visage une dignité évangélique et une innocence limpide, même si lui, Gaetano, était sans doute le pire voleur du Barrio, à un point tel qu'on disait qu'il ne fallait surtout pas lui donner votre main pour qu'il la serre, de peur qu'il ne vous la rende jamais.

C'est Mercedes Marquez qui incarnait la Vierge Marie. Elle avait une moitié de visage d'une grande beauté, l'autre ayant été détruite jadis, durant son enfance, par un joueur de couteau dont elle avait repoussé les avances. Ce sans-couilles l'avait abandonnée mourante, dans la ruelle des Ospeïda, après l'avoir défigurée. Elle avait survécu mais en était restée borgne, presque heureuse de n'avoir plus qu'un œil car, comme elle le murmurait souvent, elle ne voyait ainsi que la moitié des horreurs du monde, ce qui était déjà bien suffisant. Le père Fiscalo la plaçait dans la crèche de façon qu'on ne puisse saisir que son meilleur profil, qui était véritablement sublime et doux comme celui d'une sainte.

Moi, je faisais l'ange. Accroché par la ceinture à une corde qui elle-même était suspendue au plafond, on me hissait avec une poulie de fortune. J'étais dans les nuées. Je volais. C'était beau comme un rêve. Je levais les bras au-dessus du chat qui faisait l'âne, du chien qui faisait le bœuf, de Gaetano-Joseph et de Mercedes-Marie, et du petit Jésus qui la plupart du temps dormait en ronflant dans une caisse à savon remplie de foin et tout ornée de papier d'aluminium.

C'était Bigan, le dernier des fils Zacopesto, celui qui était nain, qui était le Jésus. Il en était très fier. Malgré ses cinquante et un ans, il se laissait emmailloter sans broncher par les femmes, les bras le long du corps. Ensuite, on le déposait dans la caisse qui servait de berceau. Il regardait autour de lui avec des yeux de nouveau-né, à la fois naïfs et apeurés, il geignait parfois, pleurait un peu comme font les bébés qui ont faim, alors Mercedes-Marie le glissait dans ses bras, et lui donnait grâce à un grand biberon une bonne rasade de *demonio*. Bigan buvait avec bonheur, faisait son petit rot, me lançait un clin d'œil, moi qui étais au-dessus de lui, et qui le protégeais de mes deux bras ouverts. Le plus souvent, quand venait minuit, notre Jésus avait tellement fait le nourrisson pleureur et la Vierge du Barrio l'avait tant fait boire qu'il était ivre mort lorsque le père Fiscalo demandait le silence et prononçait enfin sa prière :

« Écoutez-moi bien vous tous bande de salopards ! Voici Noël ! Noël, c'est la naissance de notre Seigneur, bordel ! Noël, c'est la putain de plus belle fête de toute l'année, puisque c'est la naissance du Sauveur. Un jour, nous serons tous sauvés, je vous le promets ! Bien avant ceux de la ville basse qui iront se faire foutre et devront attendre des millénaires, si c'est le contraire je me coupe les couilles ! Nous passerons devant ces fils de pute dans de grandes limousines métallisées et climatisées, ornées de jantes dix-huit pouces somptueuses et conduites par des bombes sexuelles américaines. Il y aura des cigares, du whisky, de la viande, des haricots rouges et du pain pour tout le monde. On bouffera tout et on picolera pour l'éternité. Nous aurons chacun trois téléphones portables et deux télévisions, et tous ceux de la ville basse qui chient pour l'instant dans des toilettes en or se torcheront le cul avec des épines de cactus, je vous le promets ! Foi de père Fiscalo ! Tous les soirs, nous irons au restaurant tandis qu'eux n'auront que de la semoule dans des assiettes en papier ! Ceux qui dorment aujourd'hui sur les trottoirs auront des lits crémeux et doux comme le sein d'une mère. Les derniers seront les premiers, et inversement, c'est écrit quelque part ! Un Sauveur est né, il y a bien longtemps, il ne nous a encore pas vraiment sauvés, la vache, mais ça viendra, ne vous en faites pas, ça viendra ! La route est longue jusqu'au Barrio Flores, et on n'est pas tout seuls à vivre dans la merde, raison de plus pour fêter Noël afin de lui rappeler qu'on existe et pour qu'il ne s'endorme pas sur le rôti ! Oui, Seigneur, je t'en conjure, au nom de toutes et de tous, bouge-toi un peu le cul ! Je sais bien qu'une putain de croix, c'est lourd à porter : nous autres, on connaît ça ! Avec toutes celles qu'on supporte, on pourrait ouvrir un magasin. On en a de toutes les tailles et de tous les poids. Bon, je ne vais pas t'ennuyer plus longtemps Seigneur, fais ce que tu as à faire. Après tout, tu es assez grand. Amen. Soyez bénis tous autant que vous êtes, mes chères sœurs et mes chers frères ! Vous êtes tous des enfoirés mais vous êtes ma seule famille et je vous aime plus que tout au monde ! Joyeux Noël à tous ! »

On applaudissait. On s'embrassait. Pepe me faisait de grands signes de la main et m'envoyait des baisers, je voyais dans ses yeux un peu rouges combien il était fier que je sois le petit ange de notre crèche, une crèche sans Rois mages car le père Fiscalo, qui était profondément révolutionnaire et contre toute forme de monarchie, les avait autoritairement expulsés de l'Histoire sainte.

La belle nuit pouvait dorénavant commencer. Durant quelques heures, nous allions oublier notre condition. Il y aurait un grand bonheur et on s'en souviendrait durant des semaines, comme des pépites d'or trouvées sous nos pas et qui nous aideraient à vivre. C'est sans doute pour cela que le père Fiscalo célébrait plusieurs fois Noël dans une même année. Je m'en suis rendu compte plus tard, en calculant un peu dans ma tête, quand celle-ci a commencé à grandir et à se remplir.

Moi, durant ces heures, j'étais heureux comme jamais. Je sentais sur mes épaules le murmure de mes ailes de papier. J'étais dans les rires, dans les chants, dans le regard humide de Pepe. J'étais au-dessus des hommes. Je ne percevais que leur beauté et leur joie. Je flottais dans les airs. Et souvent aujourd'hui, lorsque je songe à ce temps ancien tout parfumé de feuilles de menthe fraîche froissées par les mains meurtries de Pepe qui ont cessé depuis longtemps de caresser mes joues, je voudrais bien ne jamais être redescendu.

Ne nous quittons pas

JACQUES EXPERT

C'était ce que les gens appellent une belle journée.

Il était onze heures, pas un nuage dans le ciel, et le drapeau que mon père avait hissé aux premières heures affichait un vert prometteur. Ce vert qui assure aux vacanciers un océan calme, sans risque pour la baignade.

Mon père était assis sur la chaise haute. C'est de là, visage concentré, torse nu, poitrine velue et bronzée, crâne huilé, maillot noir, qu'il surveillait la plage, jumelles vissées aux yeux.

Comme tous les étés, il officiait, deux mois durant, en qualité de maître nageur bénévole sur la plage de Vieux-Boucau dans les Landes. Cette fonction se résumait à surveiller les vacanciers imprudents. Quand il en repérait un, il courait prévenir les CRS. À eux de récupérer celui qui s'était éloigné. De mémoire, je n'ai jamais vu mon père y aller. Il restait sur le rivage en attendant que les maîtres nageurs ramènent le téméraire qu'il était le premier à engueuler.

Puis il retournait à cette chaise haute où il trônait.

Parfois son attention déraillait, quittait l'océan, et ses jumelles se posaient sur le sable à la recherche des plus jolies femmes.

Donc, nous étions là, lui sur la chaise, moi à ses pieds, enfant de parents divorcés venu passer juillet avec son père. Assis à l'ombre, je jouais seul et m'ennuyais.

« Oh, putain ! »

C'est précisément ce que mon père a dit :

« Oh, putain ! »

J'ai levé la tête. Ses jumelles étaient pointées sur le sommet de la dune. Là, j'ai vu un couple accompagné de deux enfants. Une fille et un garçon d'une dizaine d'années comme moi.

L'homme étudiait la plage à la recherche d'un endroit tranquille. Il tenait en main un parasol et deux chaises pliantes. Étrangement, toute la famille était vêtue de bleu.

« Oh, putain ! » a répété mon père en quittant son perchoir.

Lorsque je l'ai rattrapé, il discutait déjà avec l'homme dont je notais le menton proéminent et la dentition imposante. Mon père m'a grondé quand je lui ai dit qu'il avait une tête de cheval.

« On ne se moque pas. Tu ne sais pas de qui tu parles ! » m'avait-il repris.

Mon père l'a accompagné à un endroit un peu à l'écart de la foule mais pas trop éloigné de l'océan.

« Ici, vous serez bien », les a-t-il assurés.

L'homme a ouvert le parasol, la femme a déplié quatre serviettes. Les enfants qui s'échappaient vers l'eau ont été rappelés à l'ordre par leur père. Alors, j'ai été frappé par l'accent du bonhomme que j'entendais pour la première fois.

Mon père s'en amusera plus tard :

« Ils ont un drôle d'accent, les Belges, hein, Jacquot ? »

Je détestais qu'on m'appelle par ce surnom, surtout devant des étrangers.

C'est pourtant ainsi qu'il m'avait présenté aux Belges. Ils m'ont proposé de rester jouer avec leurs enfants. Mon père était ravi : son fils avait été choisi par ces illustres visiteurs. Aucun autre des enfants ne se risqua à nous approcher, il y veillait et je l'ai vu intervenir à deux ou trois reprises, et je ne suis pas sûr que ce fût à bon escient. Je l'ai un peu payé le restant des vacances, mais pendant trois jours j'ai joui d'une proximité exclusive avec les enfants d'un homme célèbre.

C'est ainsi que je n'ai plus quitté, durant leur court passage de trois jours sur la plage landaise de Vieux-Boucau, Jacques Brel (que j'appelais « monsieur », comme le faisait mon père qui ne se risqua pas à dire « Monsieur Brel » et surtout pas « Jacques »), sa femme (« madame »), son fils Pierre et sa fille Sylvie. Nous avons joué, sommes partis à l'aventure aux confins de la plage ; nous nous sommes baignés ensemble et mon père était fier de moi. J'étais aussi son sésame auprès de ces gens illustres car, grâce à ma position d'« ami des enfants du chanteur », il venait nous rejoindre sous le moindre prétexte. Il n'était plus seulement l'homme important de la chaise haute. Il était maintenant celui qui « parlait » avec « Monsieur » Jacques Brel.

Après nous avoir laissés, mon père a fait le tour de la plage. Avant de rejoindre les CRS sur le rivage pour les prévenir, je l'ai vu s'arrêter à plusieurs reprises, se penchant sur des femmes dont les maris le voyaient approcher d'abord d'un air suspicieux (mon père avait une réputation de dragueur invétéré et il plaisait aux dames) puis, rapidement, ils se montraient attentifs et intéressés.

Ce n'était pas tous les jours qu'un endroit pareil recevait un hôte aussi connu. Mon père a dû user de toute son autorité pour interdire ceux qui se levaient déjà, appareil photo en main. D'autres auraient bien voulu d'un petit autographe. Mais mon père était catégorique et il le restera tant que cette famille sera parmi nous :

« Il faut leur foutre la paix. Ils sont là pour se reposer et si on les embête, ils partiront ailleurs. »

C'est ainsi qu'un pacte se scella en quelques minutes sur la plage : on devait faire comme si c'étaient des vacanciers ordinaires. Chacun devait déjà s'imaginer en train de se vanter auprès de ses collègues de boulot d'avoir passé l'été en compagnie de Jacques Brel. Bien peu auraient de tels souvenirs. Tous choisirent d'en faire le plein en silence. Mais ils notèrent tout de leurs faits et gestes. À se demander s'ils n'attendaient pas impatiemment que ces vacances se terminent...

D'un coup, la plage de ce début juillet s'est tétanisée, comme incapable de bouger. Retenant son souffle. Mais des centaines d'yeux se sont tournés vers les quatre Belges… Et sur moi, l'élu. Timide, j'étais un peu gêné par autant d'attention.

Brel et les siens n'ont pas semblé y faire attention et c'est d'un pas léger, s'excusant du dérangement, que le chanteur a slalomé entre les serviettes, suivi de sa tribu en maillot bleu pour rejoindre la berge. Là, sans la moindre hésitation, sans tâter de l'orteil la température de l'eau, il a plongé tête la première dans les vagues.

« Elle est à 25 degrés », a informé mon père à la femme du chanteur.

Mon père ne prenait jamais la température de l'océan, mais répondait invariablement : « Elle est à 25… »

« Alors, comme ça, a-t-il demandé, vous arrivez directement de Bruxelles ? »

Enfin, il a ajouté :

« Votre mari est un sacré nageur ! »

Brel était déjà à une centaine de mètres du rivage.

Mon père a fait son important :

« Je vais aller voir si tout va bien. Vous savez, l'océan est piégeux. Mais soyez rassurée, nous sommes là ! »

La femme l'a remercié. Son accent était pire que celui de son mari.

Mon père était un bon nageur, mais Brel encore plus. Il n'avait pas fait quinze mètres que le Belge l'avait déjà rejoint. Sa femme lui a tendu une serviette en l'embrassant sur le front quand il est sorti de l'eau, souriant de ses grandes dents de cheval.

Je ne sais si la plage s'est retenue d'applaudir à l'exploit nautique ou au geste d'affection de cette formidable épouse.

Même ses collègues CRS n'eurent droit qu'à une portion congrue de la relation que mon père entretint avec Brel.

Le lendemain, le chanteur et sa femme eurent le rare privilège d'une promenade exceptionnelle en Zodiac le long de la côte. Si mon père ne les accompagna pas, c'est parce qu'il craignait d'avoir le mal de mer. Je l'ai entendu pester quand la balade dépassa une heure :

« Qu'est-ce qu'on va faire si on a un noyé ? Le patron est inconscient. »

Ils passèrent et repassèrent devant la plage. Le capitaine parlait si fort qu'on l'entendait du rivage, comme s'il voulait montrer à tous que lui aussi avait établi un lien privilégié avec l'illustre Belge. Jacques Brel s'enflammait sur tout, de son accent puissant qui aurait fait éclater de rire quiconque s'il ne s'était agi de lui. Personne ne s'y risqua.

Deux incidents, cependant, faillirent tout gâcher.

Le premier survint à l'heure de la sieste, dès le second jour. Brel s'était assoupi et ronflait puissamment. À l'époque, il était fréquent d'aller à la plage avec son transistor. Il fallait seulement ne pas mettre le son trop fort et, quand un voisin demandait de baisser, vous obtempériez. Soudain, du transistor d'une belle blonde que mon père soignait particulièrement en l'absence de son époux, a retenti « Amsterdam ».

A-t-elle voulu lui faire plaisir ou a-t-elle été emportée par un enthousiasme personnel, toujours est-il que la chanson, poussée à fond, a sorti le chanteur du sommeil. Son réveil a été impressionnant. Il n'a pas protesté, il n'a pas crié, il a hurlé avec son accent si particulier :

« C'est quoi ce bordel ? On ne peut pas pioncer tranquille dans ce bled ? »

La plage, d'un coup, est sortie de sa torpeur. Mon père a bondi de la chaise où il somnolait.

La blonde, tétanisée, s'excusa (excuses que Brel accepta aussitôt d'un geste apaisant de la main) mais mon père l'exila à l'autre bout de la plage. Ensuite elle n'eut plus jamais le droit de reprendre sa place au pied de la dune derrière laquelle je l'avais vue disparaître avec mon père à quelques reprises. Il faut préciser que son mari était revenu le week-end suivant.

Tant que Brel resta avec nous, l'utilisation du transistor fut proscrite sur la plage de Vieux-Boucau.

Mais il y eut plus grave. J'en fus le premier témoin en fin d'après-midi.

Nous courions au bord des vagues quand Sylvie poussa un hurlement. Elle venait de marcher sur une vive, ce poisson qui s'enfouit dans le sable et dont la piqûre de l'épine dorsale est très douloureuse. Mon père m'avait pourtant mis en garde :

« Ne va pas dans ce coin, il y a des vives. »

Franchement, qu'est-ce que j'aurais pu faire, moi, le petit Jacquot, face à la détermination des enfants du grand Brel ?

Bref, ce fut l'affolement sur la plage. Quelle déveine !

En moins de dix secondes, Sylvie était entourée, portée au poste de secours où mon père tint à s'en occuper personnellement. Il me reprocha de les avoir amenés là où il ne fallait pas, mais, au final, je crois qu'il n'en fut pas peu fier. Il avait soigné et soulagé la petite fille de Jacques Brel devant des dizaines de personnes qui ne voulaient rien rater.

L'accolade et les remerciements du chanteur le gonflèrent de satisfaction.

Cependant, tout le monde craignait qu'il ne revienne pas le lendemain et tous poussèrent un « ouf » général de soulagement quand ils réapparurent au sommet de la dune à onze heures pétantes. On surveilla les allées et venues de la fillette. À la voir courir et se baigner comme si de rien n'était, je crois que toute la plage en fut non seulement soulagée mais heureuse.

Puis vint le moment du départ. La famille Brel avait quitté la plage à dix-sept heures trente pétantes les deux jours précédents. Aussi, dès seize heures, tout le monde était sur le qui-vive. Pas question de manquer le moment où le chanteur et les siens plieraient bagage. À dix-huit heures, les Belges étaient toujours là ; personne n'avait bronché. Mon père prit ça comme un hommage :

« Ils sont tellement bien avec nous qu'ils ne veulent pas partir. »

Une demi-heure plus tard, Brel entraîna les siens dans l'océan « pour un dernier bain dans cette eau merveilleuse ». J'étais avec eux. On nous laissa la mer pour nous seuls où nous avons joué à nous laisser porter par les vagues.

Puis tout s'enchaîna très vite. C'est la mère qui donna le signal du départ. Les enfants plièrent le parasol, le père changea maladroitement de maillot dans une serviette trop étroite. Certains affirmeront ensuite avoir aperçu son zizi. La famille Brel était prête : toute de bleu vêtue comme le jour de son arrivée. Ils m'embrassèrent, remercièrent mon père qui voulut s'assurer qu'on les reverrait l'année prochaine. L'homme fut franc :

« Avec mon travail, je ne peux rien vous promettre. »

À la mine déconfite de mon père, il ajouta :

« Cette plage est extraordinaire. Une des plus belles que je connaisse. »

Peut-être espéraient-ils des adieux discrets. Mais c'était sans compter avec les gens de la plage.

Je revois les Brel en train de grimper la dune en direction du parking où ils garaient leur Mustang décapotable (« une voiture de vedette », selon mon père) à l'ombre d'un tamaris (la place leur était réservée). Alors, n'obéissant à aucune consigne, la centaine de personnes encore présentes à cette heure tardive se levèrent à l'unisson. C'est sous les applaudissements nourris de la foule qu'ils disparurent. Les Brel se sont tournés vers nous, surpris par cet élan spontané d'affection, comme s'ils ne comprenaient pas. Jacques Brel parut gêné puis salua d'un grand geste de la main, offrant à tous pour la dernière fois sa mâchoire de cheval.

Mon père commenta :

« Regarde comme il est ému... »

Le lendemain matin, à onze heures, comme beaucoup qui espéraient les revoir, mon père scruta la dune. Déçu, il abandonna et préféra se consacrer à son occupation préférée : balayer la plage de ses jumelles.

Alors, la musique des transistors reprit un peu partout dans l'espoir, pour l'instant vain, d'entendre une chanson de Brel.

« Oh, putain, c'est pas possible. Oh, putain ! »

C'est mon père qui venait de jurer, comme trois jours plus tôt.

« Les Brel reviennent », avais-je pensé, déjà debout et prêt à courir. Mais non, mon père était en grande discussion avec le capitaine des CRS. Ils étaient penchés sur un journal. Je me suis glissé entre eux et lus ce titre en lettres énormes : « *Exclusif : Jacques Brel et sa famille en vacances à Saint-Tropez.* » Une photo le montrait attablé dans un café du port avec sa femme Thérèse et ses deux filles. J'ai compris tout de suite, mais la première chose à laquelle j'ai pensé :

« Il n'a pas de garçon. »

La photo et l'entretien, indiquait le journal, dataient de l'avant-veille.

« Oh, putain ! » et mon père s'est laissé tomber sur le sable.

Il a bien mis trois jours à s'en remettre.

L'homme à la gueule de cheval, accueilli comme un héros par une plage tellement fière de passer quelques jours à ses côtés, était belge, arrivait de Bruxelles en Ford Mustang décapotable avec femme et enfants et n'était pas Jacques Brel.

Cependant, au retour des vacances, dans le garage de l'avenue de la Libération au Bouscat, mon père racontait à qui voulait bien l'écouter que le grand Brel avait passé une semaine sur la plage de Vieux-Boucau où, « comme vous le savez, je suis maître nageur sauveteur ». Mon père disait n'avoir jamais vu une vedette aussi sympathique, « il ne la ramène pas et pourtant il pourrait… ». Il l'accompagnait souvent nager au loin :

« Il n'a pas un grand style, mais quelle puissance ! » commentait-il.

Il ajoutait sur le ton de la confidence :

« Ce Brel est un homme très simple, comme nous. Mais quel bavard ! Sa femme, en revanche, est plus discrète… »

Quant à moi, j'étais le meilleur copain de ses gosses. Il me prenait à témoin :

« Hein, mon Jacquot ? Ça en fait des souvenirs ! »

Diamino

JEAN-LOUIS FOURNIER

Je me souviens d'un cadeau de Noël. C'étaient des petits carrés en bois avec une lettre imprimée dessus.

À l'époque, on l'appelait un diamino, maintenant, pour faire chic, on l'appelle Scrabble.

Avec les carrés, on devait composer des mots.

À l'époque, j'avais cinq ans, une famille et un vocabulaire pauvres :

papa, maman, dodo, auto, vélo, bonbon.

J'avais trop de lettres dans mon jeu, pas assez de mots dans mon cerveau.

Quand mon père est mort, j'ai retiré deux P du jeu, les deux A, je les ai gardés pour MAMAN.

Puis j'ai grandi, mon vocabulaire aussi.

J'ai pu écrire AVION, AMÉRIQUE, GRATTE-CIEL, COW-BOY et MOTOCYCLETTE...

Je suis monté sur la motocyclette, et je suis parti me promener dans la campagne. Elle était bruyante, elle faisait s'envoler les corbeaux qui maraudaient dans les champs de blé.

Puis sont arrivés les mots latins,

j'ai aimé la PUELLA de l'AGRICOLA, je lui ai offert des ROSAS.

J'aimais beaucoup la musique classique que j'écoutais à la radio, à BETHOVEN j'ai oublié un E,

à MOSART j'ai mis un S.

J'ai écrit GITANE, WEEK-END, BALTO PLAYERS NAVY CUT et je me suis mis à tousser en fumant dans les W.-C.

Un jour, j'étais tout seul, j'ai écrit en rougissant : AMOUR.

Après, toujours avec les jetons, toujours en rougissant, j'ai écrit ANNETTE. Elle était brune et belle comme une princesse orientale, puis FLORE et JACQUELINE. Je les ai emmenées promener chacune dans une voiture différente.

Je n'avais pas encore de permis de conduire, ça ne m'a pas empêché d'écrire, TRACTION AVANT, PEUGEOT 404, BUICK, STUDEBAKER, FERRARI, DYNA JUNIOR.

Un jour, j'ai eu trop de mots dans mon cerveau et plus assez de lettres dans mon diamino.

Alors j'ai pris un crayon et j'ai écrit les mots, avec lesquels j'allais pouvoir raconter ma vie.

La Paisible

Hélène Grémillon

La jeune fille longeait les murs. Correction. Un être de quinze ans longeait des gravats de pierres. Elle ne se considérait pas comme une jeune fille, elle ne se considérait pas. Elle ne pensait pas non plus, elle se mouvait discrètement, rapidement. Si elle avait pensé, elle ne serait pas sortie de chez elle. Mais elle ne pouvait pas rester chez elle, elle pouvait être utile, elle aimait être utile. Si elle n'était pas utile, elle mourrait, elle le savait. Ses jambes prenaient le relais l'une de l'autre, elles étaient longues et fines, maigrelettes mais décidées, et tellement à l'aise. De ne plus tourner en rond, d'effectuer des distances, d'avaler des mètres qui pour une fois ne menaient pas qu'à elle-même. Ses jambes donnaient sur d'étroites hanches, le temps était au strict minimum, au dénuement, le temps n'était pas encore à la démarche, il n'était qu'à la marche. Néanmoins, ses jambes jouaient avec le sac qu'elle portait en bandoulière, il battait contre son flanc. Correction. Il oscillait, trop léger qu'il était pour battre. Il contenait si peu, un si peu qui deviendrait bientôt tout, mais ça l'être de quinze ans ne le savait *pas encore. L'être de quinze ans pensa à ses chaussures sans que cela n'entame le rythme de ses pas. Son corps n'avait plus de forces pour danser, il pouvait encore cadencer. Elle aimait laisser son corps s'assujettir au rythme. Elle ne pensa pas qu'aucun homme n'avait encore assujetti son corps. Rappel : les murs n'étaient que des gravats de pierres, les jambes étaient maigrelettes, heureuses de ne plus tourner sur elles-mêmes, les hanches étaient étroites, le sac était vide, et elle voulait être utile. Dans ces conditions, elle était bien loin de penser au principe quelconque d'un homme sur son corps.*

« Halte ! » (en allemand)

L'être de quinze ans continue, ce n'est pas pour elle qu'on parle. Elle entend des bottes courir et cliqueter derrière elle. Elle sent le canon d'un fusil se planter dans ses côtes. L'être de quinze ans s'arrête, elle ne se retourne pas, c'est l'homme qui la contourne et se plante devant elle. Il baragouine un mauvais hollandais avec un fort accent allemand.

« Comment tu t'appelles ? »

Ranger les langues. Ranger les langues. Éloigner l'accent. Les racines. La vérité.

« Edda Van Heemstra.

— Donne-moi ton sac. »

Edda pense à ses chaussures. Elle fait passer la bandoulière de son sac par-dessus sa tête. Le soldat l'ouvre, ses doigts se cognent contre le verre d'une petite bouteille de jus de pomme et se griffent contre un morceau de pain. Une feuille. Il la sort. C'est une simple partition de musique. Il la déchire. Le soldat sait qu'aucun écrit n'est simple aujourd'hui, que tout peut vouloir dire quelque chose, autre chose, et se retourner contre eux. Les morceaux de papier tombent sur le sol. Il lui rend son sac. Le soldat passe brusquement sa main sur les yeux d'Edda pour en interdire le regard.

« Arrête de me regarder comme ça. »

Edda secoue la tête, elle ne le regarde pas comme ça, ce sont ses yeux qui sont comme ça, on dirait toujours qu'ils regardent beaucoup mais ils ne regardent pas beaucoup, ils sont grands ouverts, c'est indépendant d'elle, elle le sait, alors elle essaie de les fermer un peu pour ne pas indisposer le soldat et ce plissement inhabituel pour essayer de rendre ses yeux plus communs entraîne une grimace. « Elle est laide », pense le soldat.

« Elle fera l'affaire, estime l'autre soldat qui se tient à ses côtés, on va la mettre dans le groupe des cantinières. »

« Can-ti-nières », répète-t-il en mauvais néerlandais à l'attention d'Edda tout en portant la main à sa bouche pour faire le signe de manger. Edda a peur mais le premier sentiment qui l'envahit, c'est la faim, à cause du mot « cantinières », à cause du geste vers la bouche pour manger. Une forte crampe acide lui tord l'estomac, un bloc de salive remonte dans sa bouche. Le soldat la pousse avec son fusil, Edda avance mais les jambes ne sont plus de la fête, les pieds sont crispés dans leurs souliers, eux aussi ont peur. Edda pense à sa mère : la Baronne va mourir d'inquiétude si elle ne rentre plus. Elle pense à son frère déjà prisonnier. À quelques mètres devant elle se tient un groupe de femmes disparate. Seulement des femmes. Le danger

se précise, plus menaçant. L'idée est organisée. Ils commencent toujours leur organisation par le tri, elle le sait, elle les a vus les trains défiler, bondés de visages d'hommes et puis un autre train bondé de visages de femmes, et puis les petits, les bébés qu'on sépare des bras maternels. Les femmes la regardent arriver, sans espoir et soumises. Leur emprisonnement semble davantage venir de leur amalgame que du soldat armé se tenant près d'elles.

« Dos au mur ! »

Edda comme les autres s'exécute. Elles seront rangées dans des camions et envoyées dans les camps des soldats. La fouille est sans cérémonie, Edda craint pour ses chaussures. Elle entend des nez renifler et des gorges gémir de pleurs, tout doucement. Forts du devoir accompli, les trois soldats se regroupent, bergers ayant rassemblé leurs moutons ils parlent en bouffonnant, ils ne surveillent pas vraiment les moutons puisqu'ils font peur aux moutons sans même les effrayer. Ici, l'effroi est acté depuis des mois, la terreur règne, nul besoin d'en démontrer. Edda regarde le mur de ciment qui lui fait face. Elle entend les bottes des soldats s'éloigner, sûrement chercher d'autres cantinières, d'autres préposées. Le cou d'Edda est aussi long que ses yeux sont grands et elle sait l'étirer davantage encore, elle l'a tellement travaillé cet exercice pour le ballet. Edda incline la tête vers la gauche, vers la droite, elle se fait longue, longue : elle voit qu'il ne reste qu'un seul soldat, il est assis sur la marche d'un perron détruit, elle le voit poser le fusil près de lui et sortir de sa poche un petit sac de tabac et du papier à rouler. Ce n'est pas elle qui décide, c'est son corps. Elle ne compte même pas dans sa tête, le temps de prendre du courage, elle laisse son corps s'enfuir, sans savoir où, sans se retourner. Elle court de toutes ses jambes malingres qui ne jouent plus avec le sac mais qui s'arrachent à l'air de toute la force de leur peur. Elle ne sait pas si on court derrière elle. Une autre femme mue par le même réflexe non concerté ? Le soldat propulsé sur son séant ? sa poche à tabac sur le sol éparpillé, gâché, la colère impulsée, le fusil attrapé au vol, un cri d'alerte et s'élancer à ses trousses. C'est la première fois qu'Edda court depuis des mois, elle sent son corps désarticulé, ce ne sont pas ses muscles qui courent elle n'en a plus, ce sont ses os. Elle écoute la détonation du fusil, la balle qui l'arrêtera dans sa course, par où entrera-t-elle ? Soudain, son pied accroche une irrégularité sur le sol et son corps s'étale de tout son long, sa tête heurte le trottoir, ses mains veulent la rétablir au plus vite et ses pieds sont prêts à repartir de plus belle, mais ses yeux près du sol avisent l'entrée d'un cellier à sa droite, triste Alice, défaite et poussiéreuse, sans Lapin blanc portant gilet bleu et montre à gousset, Edda se jette dans le trou noir du cellier, son « Wonderland » à elle. Chut ! Pas d'anglais ici ! On ne parle pas anglais ici !!! Ses yeux réclament plusieurs secondes pour se faire à l'obscurité. Elle rampe contre un mur et s'adosse, elle reprend son souffle, le regard rivé à la petite entrée et écoute la course du soldat à ses trousses. Elle n'entend rien. Une petite fenêtre arrondie au sommet grillagé lui permet de voir les jambes qui passent dans la rue, personne. Autour d'elle, des journaux sur le sol, des caisses en bois éventrées et des rats affamés. Les rats sont affamés même quand l'humanité mange à sa faim, alors quand cette même humanité meurt de faim, les rats la regardent dans les yeux, s'approchant, leur crainte déjà approximative de l'humanité parfaitement éteinte par la faim. Le regard d'Edda se pose soudain sur ses chaussures, elle retire de sous sa semelle un message codé : les coordonnées d'une cache qu'elle devait faire passer à un résistant, il doit toujours l'attendre. Elle ne pouvait pas rester chez elle, elle pouvait être utile, elle aimait être utile. Si elle n'était pas utile, elle mourrait, elle le savait. Elle déchire le message en microscopiques fractions de papier, elle les lance sur les rats. On est en août, dehors est noyé par un soleil de plomb, Edda se met à pleurer. Elle pense à la Baronne, son inquiétude quand sa fille ne rentrera pas ce soir. Et comme les chagrins drainent les chagrins, elle pense à son père : « Joseph Victor Anthony Ruston-Hepburn ». Moitié anglais, moitié irlandais, de lointaine souche écossaise, « Hepburn ! » Son père s'était littéralement arrogé ce nom de nulle part, voulant faire croire, mentant, qu'il était l'héritier en droite ligne de « James Hepburn », l'époux de Mary, reine d'Écosse. Il avait décrété cette filiation avec le trône, l'éternelle arrogance de son père avec la vie : toujours vouloir paraître plus qu'il n'était. Mais récapitulons : néerlandaise de mère, anglo-irlandaise de père avec une infimité d'écossais : si j'avais été un chien, je serais dans un sacré pétrin.

Dans l'assistance : un murmure, quelques visages s'éclairent d'un sourire. Le récit n'est pas drôle mais à cet instant il l'est, et le ton aussi, la façon dont la dame d'un certain âge gracile prononce : « Joseph Ruston-Hepburn », scandé, avec ses mains, avec toute la mobilité, l'expressivité si célèbre de son visage que l'on retrouve parfaitement sous les rides, le côté déclamatoire et emphatique de quelqu'un qui a désormais suffisamment de recul, qui a tout avalé, tout digéré. Pour la première fois depuis le début de son discours, en laissant filtrer ce-commentaire-canin-à-visée-humoristique, elle prend de la distance par rapport à son récit, redevenant ainsi du même coup aux yeux de l'assistance : « l'Actrice », « la Légende du Cinéma », « l'Oscarisée de vingt-quatre ans », l'éternelle My Fair Lady qui répète en s'appliquant : « Joseph Ruston-Hepburn ». Et si soudain sa voix varie sous ces trois mots, si elle se sent soudain obligée de se retrancher derrière une blague, n'est-ce pas plutôt que ce « Joseph Ruston-Hepburn », ce père, est la seule chose qu'elle n'a pas encore pu « avaler ». La dame d'un certain âge gracile reprend le fil de son récit.

Vous l'avez compris : Edda, c'est moi, mais poursuivons ainsi si vous le voulez bien, à la troisième personne, cela m'est plus facile. On m'a demandé d'évoquer un souvenir d'enfance, le voici, mais partager ce qui relève de l'intimité d'un secret avec plus de cinq cents personnes en même temps, je ne vous cache pas que c'est intimidant, alors restons avec Edda s'il vous plaît. Où en étais-je ? Ah oui. Et comme les chagrins drainent les chagrins, Edda repense à son père qui l'a abandonnée quand elle avait six ans. « Joseph Ruston-Hepburn. » Dans la tradition anglaise, associer

deux noms est un principe aristocratique pour pré-
server le nom d'une lignée éteinte par absence de
descendants mâles. Edda existait, elle, mais elle n'était
pas un garçon. Edda a toujours pensé que son père ne
l'aurait pas abandonnée si elle avait été un garçon.
Edda envoie un rat valser d'un coup de soulier. Si son
père ne les avait pas abandonnés elle n'en serait pas là
à se terrer dans cette cave. Correction. Son père ne les
avait pas abandonnés. Son père avait quitté sa mère.
Pourquoi ? Parce qu'ils se disputaient sans cesse, Edda
les entendait bien, ces disputes, elle ne pouvait pas dire
le contraire, mais le mariage d'une aristocrate fortunée
avec son banquier pouvait-il résister à ce que ce type
de mésalliance induisait d'emblée ? Sûrement était-il
intéressé, sûrement estimait-il n'avoir pas les mains
assez libres pour « s'occuper » de l'argent de sa femme,
alors ils se sont disputés, alors il est parti, il a quitté sa
mère. Mais elle, elle avec qui il ne se disputait jamais,
il ne l'a pas quittée, il l'a bel et bien abandonnée, Edda
qui jonche le sol avec les rats a été abandonnée par
son père lequel est sorti un matin de la maison et n'y
est plus jamais revenu, ils l'ont attendu longtemps sa
mère, elle et ses demi-frères, eux ce n'était pas leur
père, il faisait souffrir leur mère et menaçait de leur
souffler leur héritage, alors quelque part bon débarras,
mais elle, elle l'aimait tellement son père, l'amour cela
ne veut pas dire grand-chose précisément, elle parle-
rait plutôt de besoin, de joie, d'admiration, de rire et
de jeux, de grand souffle dans la poitrine quand elle
le voyait arriver et de douce quiétude quand il était là,
toute cette matière imprécise qu'il lui a retirée d'un
seul coup, pour disparaître.

À cet instant, la femme d'un certain âge gracile se tait, comme soudain repartie des années auparavant. Le silence plane sur l'assistance suspendue, il y a ceux qui la regardent hypnotisés et ceux qui baissent les yeux, leur manière à eux de communier mieux. Elle reprend.

L'abandon est une tragédie en soi, la disparition de celui qui vous abandonne en est une autre. Son père a disparu, mais il n'est pas mort : « Il est dans la nature », la Baronne lui répète souvent cette phrase. Peut-être est-ce pour cela qu'Edda se trouve si bien au milieu des arbres et des fleurs, peut-être s'attend-elle à voir son père surgir à tous moments, comme un être divin, d'abord auréolé de lumière puis la silhouette parfaitement établie dans l'espace, et se découper ainsi son corps, ses mains, ses grandes mains dans lesquelles elle aimait tant se retrouver serrée. Si son père avait été là, il l'aurait protégée de cette affreuse guerre, elle ne se serait jamais retrouvée ici, dans ce pays où parler l'anglais pouvait lui valoir d'être fusillée, où elle ne pouvait pas s'appeler comme elle s'appelait : « Edda Ruston-Hepburn », mais où elle avait dû prendre le nom de jeune fille de sa mère hollandaise pour mieux se mélanger, « Edda Van Heemstra », se faire oublier. Ici, au risque de sa vie, il fallait toujours ranger les langues, ranger les langues, éloigner l'accent, les racines, la vérité. Un jour, Edda s'était retrouvée bizarrement orpheline de père, aujourd'hui Edda se retrouve bizarrement orpheline de mère, couchée sur le sol, le visage tourné vers le soupirail, le

corps rassemblé, fœtus parmi les rats, elle cherche les
jambes de sa mère par les grilles de la fenêtre, prête à
appeler « maman », mais rien : seules les jambes des
Autres comme des moutons qui passent. Edda s'en-
dort. Dans son sommeil, elle ne s'en souviendra pas,
mais il y a :

la salle de classe de sa pension du Kent où sa
mère l'avait envoyée à six ans pour tenter de lui
changer l'âme, cette torpeur où l'avait jetée la
disparition de son père, l'Angleterre ce n'était
pas son père mais c'était quand même un peu
son père, c'est ce que devait se dire sa mère,
ça lui fera du bien, cette salle de classe où elle
avait acquis son anglais si pur et désormais
interdit, il y a de la nourriture, comme souvent
dans ses sommeils, beaucoup de nourriture elle
n'en mange pas mais elle la regarde et cela
la soulage, il y a la musique de Tchaïkovski,
les cygnes, le blanc et le noir, et de l'orange,
beaucoup d'orange, les couleurs de l'avion
dans lequel elle était montée, l'avant-dernier
avion aux couleurs de la Hollande à quitter le
sol anglais, la Baronne voulant mettre sa fille
à l'abri des frappes allemandes, inspiration
finalement de courte portée puisque les
Allemands sont aussi arrivés aux Pays-Bas où ils
déploient toute leur hargne, dans son sommeil
il y a toujours ses cours de ballet, maintenant
elle ne peut plus danser, son corps affamé lui
refuse ce bonheur, il n'en a plus la force, et
dans son sommeil, il y a aussi Margot Fonteyn,

*« prima ballerina », son Modèle, celle qu'elle
veut devenir plus tard, cette pressante envie
d'être quelqu'un d'autre elle doit tenir cela de
son père, et Margot Fonteyn fait des entrechats,
des arabesques, avant Margot Fonteyn s'appelait
Margaret Fontes, pour s'inventer soi-même
on a parfois besoin de copier ses idoles, alors
elle aussi changera de nom, elle s'appellera
« Audrey » – version anglaise de Edda – crier
haut et fort cet anglais qu'elle avait dû taire
toutes ces années, « Hepburn », du même nom
fantaisiste que son père avait choisi pour lui-
même, conserver la seule chose qu'il lui avait
léguée, s'agréger à sa famille d'imagination,
souvent la plus belle, et si un jour il venait à
la chercher, s'il craignait qu'elle lui en veuille,
il comprendrait alors qu'elle lui avait
pardonné : « Audrey Hepburn. »*

*Quand elle se réveille, Edda n'est plus confuse,
elle ne sait pas le jour, ni l'heure mais elle n'est plus
confuse. Le désarroi s'est éloigné. Elle ouvre son sac,
elle détache une bouchée de pain, la mâche longuement, elle avale une gorgée de jus de pomme, les
rats bougent, elle ne les voit pas. Elle veut une autre
bouchée de pain mais elle le remet dans son sac, elle
ne sait pas combien de temps elle va devoir rester
ici, mieux vaut le garder pour demain, rationner une
ration, elle est habituée maintenant, cela fait des mois
qu'elle mange si peu. En hiver, il n'y a rien, en été
elle mange ce qu'elle et sa mère trouvent dans la campagne. Edda pense aux tulipes, la farine de ce pain*

vient de leur bulbe écrasé, il ne leur reste plus que cette façon d'avoir de la farine. Jamais plus elle ne supportera les tulipes. Un jour, un bouquet l'attendra dans sa loge, un flot glacé d'insoutenables sensations physiques qu'elle ne croyait plus jamais ressentir l'avait alors envahie et elle s'était ruée sur la première chose à manger à portée de main, pour contrarier la malédiction, les tulipes ça voulait dire la famine, alors elle avait mangé la boîte entière de chocolats tétanisée par le bouquet, incapable d'en défaire son regard, engloutissant un à un les chocolats, ne s'arrêtant que quand le cœur aux bords des lèvres elle avait dû aller tout vomir dans les toilettes. Mais ça, ce serait plus tard dans sa vie, avant il fallait d'abord que les jours dans la cave se succèdent, infernaux, la faim ancrée au creux du ventre, les yeux rivés au soupirail entre jambes d'inconnus et jambes de soldats allemands, l'ennui monstrueux alternant avec des piques d'effroi lorsqu'elle entend le cliquetis des bottes se rapprocher, et passer. La torpeur aussi. Très vite, elle n'a plus rien à manger, plus rien à boire. Il n'y a pas que les jambes qui passent, les jours aussi. Elle souffre tellement, et puis ses selles qui deviennent grises, depuis quand n'a-t-elle pas bu ? pas mangé ? Et puis ses souffrances deviennent telles que d'être capturée par les Allemands ne sera finalement pas pire, ne peut pas être pire. Et puis les bombardements sans discontinuer lui tapent dans les tempes, lui cognent la raison. Alors elle décide d'attendre la tombée de la nuit et de s'extirper du cellier, elle retrouve le chemin de sa maison. Un cri.

« Edda ! »

La Baronne serre sa fille si fort de l'avoir cru morte.
Edda s'évanouit, succombant à la fatigue d'une jaunisse
déclarée, le sommeil l'engloutit. Malgré l'heure, mal-
gré le couvre-feu, la Baronne traverse la ville pour aller
chercher le médecin.

« Combien de temps est-elle restée terrée dans cette
cave ? lui demande-t-il.

— Trois semaines et quatre jours. »

La femme d'un certain âge gracile replie le papier
qu'elle était en train de lire et repositionne machinalement le micro sur le pupitre.

Mes jours étaient en danger, j'étais complètement
anémique et asthmatique, toutes ces choses dues à
la malnutrition, j'avais des œdèmes sur différentes
parties du corps, à cause des carences alimentaires,
du manque de vitamines. Cet hiver-là en Hollande,
vingt mille personnes sont mortes de faim. Ce corps
tant commenté, gratifié d'innombrables adjectifs,
tour à tour mince, maigre, androgyne, élancé, svelte,
délié, filiforme, grêle, fin, délié, délicat, gracile, frêle,
fluet, longiligne, autant de synonymes pour finale-
ment décrire un corps avant tout « famélique », au
sens propre de « qui a subi la faim » et qui en portera
toute sa vie les traces indéfectibles, indélébiles dans
un développement toujours carencé. S'il est un homme
qui n'est pas dupe du corps des femmes c'est mon ami
le grand couturier Monsieur Givenchy, « du jamais
vu » me dit-il souvent, mais depuis trente-cinq ans
que dure notre heureuse collaboration mes mensura-
tions n'ont pas bougé. Trop grand, 1,74 mètre, et déjà

trop vieux à dix-huit ans, pour m'ouvrir les portes de cette carrière de danseuse classique dont j'avais tant rêvé, ce corps se verra contre toute attente ouvrir les portes de Hollywood, pourtant davantage porté sur les formes généreuses... Pour ne prendre qu'elles, Marilyn Monroe, Kim Novak et Lana Turner m'ont regardée arriver avec une telle incrédulité, de quoi pouvait donc bien se targuer ce corps de limande ? Que je le veuille ou non, je le porterai toute ma vie comme l'impérissable souvenir de ce qu'il a traversé : la Seconde Guerre mondiale. Si nous avions su que l'Occupation allait durer cinq ans, nous nous serions peut-être tous tirés une balle dans le crâne, nous pensions toujours que ça allait se terminer dans la semaine suivante ou dans six mois ou l'année prochaine, c'est comme ça que nous avons réussi à traverser l'épreuve. Et puis un jour l'odeur de la cigarette anglaise. On me demande souvent ce que représente la Liberté pour moi, et bien pour moi : la Liberté a l'odeur d'une cigarette anglaise. D'abord, c'est vrai, il y a eu le son du silence : tout à coup les bombardements qui duraient depuis des mois ont cessé, nous nous sommes regardées avec la Baronne, nous ne savions pas s'il fallait que nous ayons plus peur ou moins peur et c'est alors que je l'ai sentie passer par la fenêtre, jusqu'à moi, cette odeur de cigarette anglaise : ils étaient là, ils nous libéraient. Dès le lendemain, la Croix-Rouge est arrivée. Ce jour-là de ma vie, je faisais partie de ceux qui ont reçu de la nourriture et des soins médicaux. Et je n'oublierai jamais cette sensation de pouvoir de nouveau se nourrir, d'être prise en charge, soignée. Je sais la violence de la guerre, les cris, les années de

famine, les morts dans les rues, de faim ou de blessures, et je n'oublierai jamais ma chance d'avoir survécu à cela, et je sais ce que c'est d'être orpheline,
voilà pourquoi je suis ici, voilà pourquoi j'ai voulu
m'engager aux côtés de l'UNICEF. Les gens, plus
que les choses, ont besoin d'être restaurés, renouve-
lés, ranimés, régénérés et rachetés, on ne doit jamais
rejeter qui que ce soit, les gens en Éthiopie, au Soudan et ailleurs, ne me reconnaissent pas, le visage
d'Audrey Hepburn ne leur est pas familier, non pas
du tout, mais ils reconnaissent le nom UNICEF, leurs
yeux s'éclairent parce qu'ils savent que quelque chose
de bien arrive, au Soudan, ils appellent même les
robinets « UNICEF ». Je ne crois pas à la faute collective mais je crois à la responsabilité collective, on
dit : « Chaque nouvelle génération offre aux hommes
une autre chance » et vous êtes la nouvelle génération, vous avez la connaissance que nous n'avions pas,
aujourd'hui, ce n'est plus une question d'ignorance, de
politique ou d'économie, mais de volonté humaine :
tous les enfants du monde doivent être libérés de la
maladie, de l'exploitation, de la prostitution et de la
violence abjecte de la pauvreté, tous les enfants du
monde doivent avoir accès à l'éducation. Comme le dit
merveilleusement Vaclav Havel : « Sauver l'humanité
ne dépend de rien d'autre que des actes des hommes
et de la bonté de leurs cœurs. » Merci.

La belle et haute silhouette dont le réalisateur
Billy Wilder disait malicieusement qu'« elle était à
elle seule capable de faire de la poitrine une valeur
du passé » s'incline et disparaît dans les coulisses.

L'assistance est debout pour applaudir l'intervention de cette femme extraordinaire et saluer la grandeur de son engagement humanitaire. Dans son action aux côtés de l'UNICEF, Audrey Hepburn, « Edda Ruston-Hepburn », « Edda Van Heemstra », effectuera plus de cinquante voyages autour du monde. Soudan, Salvador, Honduras, Mexique, Venezuela, Équateur, Bangladesh, Viêtnam, Thaïlande, Éthiopie, Érythrée, Somalie. À cette période de sa vie, elle avait mis un terme à sa carrière et vivait heureuse avec l'homme qu'elle aimait dans une maison qu'elle avait baptisée « La Paisible ». Mais Audrey Hepburn ne pouvait pas rester chez elle, elle pouvait être utile, elle aimait être utile, si elle n'était pas utile, elle mourrait, elle le savait.

À Joinville-le-Pont

PHILIPPE GRIMBERT

Enfant, j'ai longtemps cru que tous les grands-parents habitaient Joinville. J'étais persuadé que tous ceux de mon âge passaient leurs vacances dans un pavillon semblable à celui qui abrite aujourd'hui mes souvenirs. Un jardinet aux allées cimentées, un petit bassin où tournait inlassablement un groupe de poissons rouges décolorés et, une fois traversée la véranda, une grande pièce sombre où trônait sur un guéridon un énorme poste de TSF.

Lorsque la veillée s'annonçait, mon grand-père tournait un des larges boutons de l'appareil et dans l'obscurité de la pièce un œil s'allumait. D'un vert opalescent, son iris s'étirait, se dilatait lentement autour de la pupille. Ramassé sur lui-même au centre du gros poste de noyer, l'œil semblait se nourrir d'une chaleur mystérieuse, électrique, qui en intensifiait la couleur tandis qu'il accommodait, jusqu'à ce que l'appareil atteigne la bonne température. Il fixait les occupants de la pièce : un couple de personnes âgées, un petit garçon qui lisait dans un fauteuil, un chien noir et blanc roulé en boule sur un édredon. Le silence des lieux n'était troublé que par un cliquetis d'aiguilles, un froissement de pages tournées, le grésillement à peine audible d'une cigarette. Lorsque enfin l'œil atteignait sa forme parfaite, émeraude percée d'un noir insondable, la voix compassée et nasillarde d'un présentateur annonçait un programme musical : « *Chers auditeurs, veuillez écouter maintenant...* »

Le tricot restait alors suspendu entre les mains de ma grand-mère et je posais mon illustré sur mes genoux pendant qu'une voix connue s'étirait sur le fil d'un orchestre invisible, entonnant un refrain : c'était une chanson. Le poste la diffusait et elle chassait la rumeur de la rue, effaçant le décor de meubles rustiques et de papier peint à fleurs. Une chanson qui prenait toute la place, remplissant la pièce de sa mélodie familière, souvent fredonnée par ma grand-mère sur le battement régulier de sa machine à coudre et qui maintenant se déroulait, identique à elle-même, produisant à chaque écoute le même plaisir, bref et achevé.

Au-dessus de l'œil magique qui avait capté l'onde d'un lointain émetteur, se déployait un petit théâtre. Un rideau d'étoffe mordorée cachait le haut-parleur, encadré de colonnes illuminées, il faisait penser aux ors de ces cinémas de quartier aujourd'hui disparus dans lesquels m'emmenaient mes parents les veilles de congés scolaires : le Royal Monceau, le Régent, l'Artistic ou le Météor. À l'entracte, après que le rideau de réclames fut relevé, on annonçait l'attraction, un montreur de chiens, un prestidigitateur, ou le plus souvent un chanteur, à qui le public réservait un accueil poli. J'ai gardé le souvenir d'un nommé

Felix Paquet qui faisait reprendre à la salle en joie *À Joinville-le-Pont, pon, pon !* et qui balançait les bras en mesure devant le rideau du Palais du Parc.

Sur une plaque de verre se déployait un éventail de noms scintillants : Berlin, Londres, Rome, Le Caire, évocations exotiques pour le jeune citadin que j'étais, traversés par la verticale d'une aiguille rouge. Quand on s'amusait à la déplacer on obtenait un tissu chamarré de voix étrangères, entrelacé de sifflements aigus et le grésillement recouvrant ces émissions venues d'ailleurs me faisait rêver à l'espace qu'elles avaient dû parcourir, chevauchant les ondes avant de se poser là, dans l'ombre de ce petit pavillon de banlieue.

Au bout de quelques instants, je m'approchais du gros poste et collais mon nez à son dos pour me griser du parfum de bakélite chauffée par les ampoules aveugles qui garnissaient l'intérieur du récepteur. Si je l'avais pu – et le désir m'en venait souvent –, j'aurais aimé percer délicatement à l'aide d'une épingle l'iris de l'œil vert qui me fascinait pour en recueillir sur mes doigts la sève fluorescente.

Dans mon imaginaire cet œil de cyclope était l'organe vital de la TSF, il en était le cœur mais aussi le nombril, la bouche et même l'oreille, attentive aux propos échangés, aux refrains repris en chœur par la famille qui faisait cercle autour de lui : l'œil chantait, palpitait, mais il écoutait aussi. Sur la boucle qui se déployait hors de sa pupille voyageaient le timbre des speakers à la diction si particulière, les informations du *journal parlé*, les jeux radiophoniques, les feuilletons. Mais avant tout, comme sur la scène du cinéma de quartier, y cheminaient les chansons du jour, ces chansons dont accouchait le grand poste familial et qui y retournaient, vivant ainsi leur petit destin de chanson : venir au jour, être ou non reconnues ou fêtées, puis disparaître à jamais ou au contraire continuer de chanter dans le souvenir de ceux qui les avaient aimées...

Les éclats de rire du public de *Cent francs par seconde* s'éteignaient et le speaker annonçait une émission musicale au cours de laquelle allaient être comparés les mérites respectifs de deux divas milanaises dont la rivalité alimentait les gazettes. « Qui tu préfères ? demanderai-je le lendemain à mes camarades du parc, la Callas ou la Tebaldi ? », m'étonnant que les adultes puissent faire la différence entre ces deux voix, indissociables pour moi dans leurs sonorités d'instruments à cordes.

Mais ce que j'attendais avec la plus grande impatience, dans ces années 1950, c'était Line Renaud et son *Petit chien dans la vitrine*, dont le refrain était ponctué « *Ouah ! Ouah !* » par les aboiements de l'animal. J'aimais aussi le *Docteur Miracle*, dans sa « petite auto », peut-être parce qu'il me semblait un peu inquiétant, à l'image du docteur du dispensaire, quand ce dernier me plaquait un stéthoscope glacé sur la poitrine. « *Toi ma p'tite folie, mon p'tit grain de fantaisie* » restait pour moi une énigme : de quel grain s'agissait-il ? Grain de café ou grain de beauté ? De même étais-je toujours perplexe quand j'entendais : « *Mon paternel, qui n'avait pas les pieds plats, m'a appris le shimmy, les claquettes et cætera...* »

Pieds plats, shimmy, claquettes ? Autant de termes inconnus dont j'aurais pu demander à mes aînés la signification, préférant cependant me passer de leurs explications : j'aimais que ces mots me résistent, comme ceux d'une langue étrangère. *Un enfant de la balle* me semblait moins mystérieux : il s'agissait sans aucun doute d'un jeune jongleur !

Grand-mère adorait Luis Mariano, grand-père portait Tino Rossi aux nues, mais celui que je préférais, c'était André Claveau quand il chantait *Domino*, sans doute parce que, dans cette époque où aucun écran de télévision ou d'ordinateur n'exerçait sa fascination, c'était la seule occupation de la veillée et qu'avec la complicité des adultes j'y tirais plus qu'à mon tour le convoité double six...

J'étais en vacances chez mes grands-parents, dans une banlieue proche de la capitale, ce Joinville chanté par le fantaisiste qui moulinait des bras à l'entracte du Palais du Parc, mais quand j'entendais résonner dans le poste Jacqueline François avec sa *Mademoiselle de Paris*, *À Paris*, entonné par la voix cordiale de Francis Lemarque, ou bien encore *Un gamin de Paris*, par Mick Micheyl, la nostalgie m'envahissait et je pensais à mes parents qui travaillaient au cœur de cette capitale qui m'apparaissait soudain trop lointaine. Curieusement, ce qui me revenait alors, à l'évocation de ce Paris chanté, c'était, exhalée par ses bouches de bronze, l'haleine capiteuse du métro.

Quand sonnait l'heure du coucher et que, d'un tour de bouton, mon grand-père abaissait la paupière de l'œil magique, j'emportais dans mon sommeil la voix ironique d'Yvette Guilbert, les accents joyeux d'une polka interprétée par une chorale de chiens, parfois même une valse viennoise exécutée par un ensemble d'avertisseurs automobiles. Sans doute allais-je aussi rêver du *Jardin extraordinaire* de Charles Trenet, ce jardin qui ne pouvait être que le parc du Saut-du-Loup, avec ses rocailles et ses faux rochers où, tout l'après-midi, j'avais joué aux cow-boys et aux Indiens et bavardé, comme le poète, avec les canards du grand bassin.

Entre ces chansons qui nourrissaient mon enfance et le monde qui m'entourait se tissaient de mystérieuses correspondances : ainsi je ne pouvais entendre *L'âme des poètes* sans imaginer, allez savoir pourquoi, le pont de l'Europe enjambant l'enchevêtrement des rails de la gare Saint-Lazare, sous lequel grondait la vapeur des trains de banlieue. La phrase : « *Longtemps, longtemps, longtemps après que les poètes ont disparu…* » s'associait aux silhouettes des passants fugitivement engloutis sous l'avalanche de fumée blanche, dans laquelle j'avais moi-même si souvent eu peur de me dissoudre. *La Marie Vison* prenait pour moi les apparences d'une mauvaise fée et si « *elle avait roulé sa bosse, roulé carrosse* », c'était en enveloppant sa silhouette contrefaite dans une fourrure trop vaste pour elle, comme la redoutable Cruella des *Cent un dalmatiens*. Quand j'entendais la voix douloureuse de Piaf chanter « *Tu me fais tourner la tête, mon manège à moi c'est toi…* », c'était l'orgue mécanique du petit carrousel installé près du Pont de Mulhouse qui tintait à mes oreilles, pendant que je chevauchais ma monture favorite, un cochon de bois rose souriant aux anges. Dès que résonnait : « *Fais-nous danser,*

Julie la Rousse, toi dont les baisers font oublier... »,
la belle boulangère de la place du Marché, celle-ci et
nulle autre, avec ses cheveux de feu, me prenait dans
ses bras et m'entraînait dans une valse étourdissante
sur la voix de René-Louis Lafforgue.

Avec ces chansons qui appartenaient à l'univers des
adultes, j'écrivais une nouvelle page de ma mémoire.
Déjà je me sentais balancer, petit funambule, sur le
fil qui m'éloignait de mon enfance. De celle-ci me
restaient des refrains que le grand garçon en devenir
allait bientôt avoir honte de fredonner, tant leurs parfums me paraissaient trop sucrés, berceuses ou comp-
tines égrenées dans le calme de ma chambre par la
voix apaisante de ma mère, « *Fais dodo, Colas mon
p'tit frère* », « *Dors, mon p'tit Quinquin* » ou marches
enfantines rythmées par le doux chahut des genoux
de mon père, « *À dada sur mon bidet, quand il trotte
il fait des pets...* », « *Malbrough s'en va-t'en guerre,
mironton, mironton, mirontaine...* »

Sur la pointe des pieds s'éloignaient dans la nuit
du souvenir Cadet Rousselle, Frère Jacques et Com-
père Guilleri, remplacés par d'autres refrains, comme
on remplace le lit à barreaux par le premier lit « de
grand », l'ours en peluche par le soldat de plomb.
Du minuscule piano jouet sur lequel je tentais de
reproduire la mélodie d'*Au clair de la lune* jusqu'au
magique œil vert de la TSF qui m'apportait maintenant les succès du jour, je mesurais déjà le chemin
parcouru. Si je me plantais encore de temps à autre
devant la grande armoire à glace de la chambre pour
y contempler le reflet d'un enfant songeur, un nouvel

univers, peuplé d'hommes élégants et de femmes en robes fleuries, m'entrouvrait ses portes en chansons.

Non, tous les grands-parents n'habitaient pas Joinville et tous les enfants de la capitale ne passaient pas leurs vacances dans un pavillon semblable à celui qu'avait bâti mon grand-père, mais tous, comme moi, cachaient au fond de leur cœur ce jardin secret où chaque souvenir sait trouver sa chanson.

La double vie selon grand-père Moukila

ALAIN MABANCKOU

Pendant les vacances scolaires ma mère m'emmenait souvent à Louboulou, un petit village de la région de la Bouenza, dans le sud du Congo-Brazzaville. Nous prenions d'abord le train à la gare de Pointe-Noire, nous empruntions ensuite un gros camion dans lequel les voyageurs étaient entassés les uns sur les autres. Certains s'agrippaient au-dessus du véhicule avec leurs marchandises et chantaient tout au long du voyage. Moi, je rêvais déjà de ce village et, impatient, ne cessais de demander à ma mère à quel moment nous arriverions.

« Ce n'est plus très loin, dors un peu pour te reposer. Quand tu te réveilleras, nous serons déjà à Louboulou », me répondait-elle.

Après deux jours et des escales dans plusieurs villages, nous apercevions enfin la rivière Moukoukoulou, ses chutes impressionnantes et sa végétation abondante. Les voyageurs se bousculaient, les bébés jusque-là endormis se réveillaient en sursaut et hurlaient tandis que les passagers au-dessus du camion commençaient à redescendre.

Louboulou n'était plus qu'à quelques centaines de mètres...

C'est à Louboulou que maman Pauline est née et a passé son enfance et son adolescence avant d'aller vivre à Pointe-Noire, la capitale économique où j'ai grandi.

Quand je repense à ce village, je me revois tout petit. Je porte des sandales en plastique. J'ai une chemise blanche à manches courtes et une culotte beige usée sur les bords. Je suis en train de marcher seul dans l'herbe où j'essaie d'attraper des papillons aux mille couleurs. Plus je les pourchasse, plus je me rapproche de la brousse, loin des regards des adultes. Parfois je suis épouvanté par le bruit des oiseaux qui s'envolent en groupe, effrayés et me prenant certainement pour un des chasseurs de la région. Je marche en fredonnant une chanson que j'ai apprise à l'école. Je ne me rends même pas compte que la brousse n'est plus qu'à quelques mètres devant moi. Au lieu de revenir sur mes pas, je veux suivre un sentier et parvenir jusqu'à une rivière que j'entends couler. Je me rappelle tout à coup que maman Pauline m'a toujours prévenu qu'un enfant ne s'aventure pas seul dans la forêt car c'est là-dedans que se cachent les créatures étranges les plus étranges, les unes plus maléfiques que les autres.

Je fais donc demi-tour, un peu déçu.

Sur le chemin du retour, je cours la bouche ouverte jusqu'à ce que j'aperçoive enfin les premières cases de

Louboulou. Je ralentis mon allure pour donner l'impression aux gens que je croise que je ne m'étais pas éloigné du village. Hélas, je tombe sur ma mère qui m'attend devant la porte de la case, le visage fermé :

« Regarde donc tes jambes ! » hurle-t-elle.

Je baisse les yeux : j'ai des coupures et du sang coagulé le long des jambes. Ma soif de me perdre dans la campagne m'avait fait oublier ces petites plaies dont je ressens de plus en plus les douleurs.

Ma mère entre dans la case et revient avec un flacon.

« Assois-toi par terre, je vais te soigner. »

Je ne connais pas ce remède. Elle sait que j'ai horreur de deux médicaments : la nivaquine, parce que c'est amer ; l'alcool, parce que ça pique.

Je lui demande d'une voix désespérée :

« C'est… c'est de l'alcool, ça ? »

Elle éclate de rire :

« Non, c'est de la graisse de boa… »

Je pousse un soupir de soulagement pendant qu'elle ouvre le flacon et étend de la graisse sur mes plaies. J'apprécie à la fois la chaleur de ses mains et la tiédeur de cette graisse de boa.

Le lendemain à mon réveil, comme par magie, je découvre que mes blessures ont cicatrisé et que je peux même ôter les croûtes…

***

Grand-père Moukila était le chef de Louboulou. Je le suivais partout, et je crois qu'il m'épiait, persuadé que les gamins de Pointe-Noire comme moi étaient moins sages que ceux du village. Dès que quelqu'un marchait sur une plante de son jardin, j'étais celui qu'il accusait en premier avant de découvrir que c'était un adulte. Il me présentait alors ses excuses et, pour se racheter, nous allions tous les deux ramasser les mangues mûres dans son potager.

Je le revois encore quand il me montre un mouton et me dit :

« C'est un membre de notre famille. Tu dois le respecter comme s'il était un humain. »

Je regarde un moment l'animal qui remue ses oreilles comme s'il acquiesce les paroles de grand-père. Un peu plus loin, une chèvre broute l'herbe en balançant sa queue. Je veux me rapprocher d'elle, mais grand-père me retient par la chemise.

« Cette chèvre c'est ta tante maternelle ! Ne la dérange pas ! Tu aimerais que quelqu'un t'interrompe quand tu manges ? »

Quelques minutes après, un pigeon vient se poser sur le toit de notre case. Il roucoule et regarde dans notre direction. Comme je déteste ce bruit, je m'empare d'un caillou pour le projeter vers l'oiseau. Grand-père Moukila m'attrape le bras juste à temps.

« C'est ma cousine, elle est morte par noyade dans les eaux de la rivière Moukoukoulou ! Tous les jours, elle vient me donner les nouvelles de nos ancêtres… »

Je prenais les paroles de grand-père Moukila pour les délires d'un vieillard. Je me disais qu'il était coupé de notre monde parce qu'à Pointe-Noire nous chassions les animaux avec des pierres, surtout les chiens.

Un jour, agacé, je lui ai demandé pourquoi il m'interdisait d'approcher certaines bêtes. Il s'est d'abord caressé la barbe avant de répondre :

« Tu peux les approcher, mais tu n'as pas le droit de les brimer comme font les enfants de la ville. Lorsque nous venons au monde, nous avons tous notre animal, et c'est ce qu'on appelle un double. J'ai mon double animal, ta mère en a, ton père en a, et toi aussi tu as ton double animal…

— Et il est où, le mien ? je lui demande avec une toute petite voix.

— Il est quelque part dans la brousse…

— Je peux le voir ?

— Non, tu ne peux pas, tu es encore trop petit. Tu aurais peur de lui, et il aurait peur de toi… »

***

Un après-midi, alors que mon attention était attirée par un coq immobile devant la basse-cour, grand-père est venu à pas feutrés derrière moi.

« Ne fais jamais de mal à ce coq solitaire… »

C'était un vieux coq avec une crête recourbée. Il ne se mêlait pas au reste de la volaille de grand-père. Ses plumes étaient dressées tels des piquants d'un porc-épic. Il avait des problèmes de vue et heurtait parfois le grillage du poulailler au lieu d'entrer par la petite porte. Ses pattes squelettiques attestaient que s'il était un être humain il n'aurait pas moins de quatre-vingts ans et porterait des lunettes de myopie. En se déplaçant, il boitait, s'arrêtait sans cesse afin de reprendre son souffle. Et quand il faisait très chaud, il se réfugiait vite à l'ombre, la langue bien dehors, et somnolait. Lorsqu'il apparaissait au milieu de la basse-cour, les poules l'entouraient, picoraient des graines qu'elles balançaient vers lui. Puis elles poussaient des caquètements en signe de révérence.

Dans la journée, il tournait en rond dans la cour. Le soir, au lieu d'entrer dans le poulailler – peut-être parce qu'il ne trouvait pas la porte d'entrée –, il dormait sur une seule patte devant notre case.

Même si j'étais un enfant de la ville, je savais depuis longtemps que les coqs chantaient toujours très tôt pour annoncer le jour. Pourtant, les rares fois où j'entendais chanter notre coq solitaire, il faisait encore nuit, et le jour était loin de se lever, ce qui désorientait les villageois. Ceux-ci se levaient plus tôt que d'habitude pour aller aux champs avant de constater qu'il était encore une heure du matin. Furieux, ils retournaient dans leur lit et maudissaient le coq solitaire...

Malgré l'avertissement de mon grand-père, je poursuivais ce coq solitaire à cause de ses excréments dont la forte odeur m'empêchait de respirer. Mais même quand je le chassais devant notre case, l'animal, têtu, revenait plus tard me défier. Énervé, je me lançais une nouvelle fois à sa poursuite jusque dans les plantations de manioc où il réussissait à se cacher. Je revenais dans le village, vexé de ne l'avoir pas attrapé et puni, et j'étais étonné de le retrouver devant la porte de la case, le bec en l'air ! C'était sa façon de se moquer de moi. « Comment s'est-il arrangé pour arriver là avant moi alors que je l'avais laissé dans la plantation ? Est-il plus rapide que moi, lui qui n'arrive pas à se déplacer et qui voit très mal ? » me demandais-je.

Puisque je ne supportais pas d'avoir été humilié, un jour, je me suis emparé d'un morceau de bois dans l'espoir d'assommer ce coq. J'avais encore la main levée au-dessus de ma tête quand j'ai entendu derrière moi une grosse voix :

« Qu'est-ce que tu fais ? »

C'était grand-père. Je ne l'avais pas vu dans une colère aussi rouge.

« Viens avec moi, je dois te parler… »

Il m'a pris par la main, m'a entraîné derrière la case et m'a dit de m'asseoir à même le sol.

« Tu voulais me tuer, c'est ça ? dit-il, le souffle presque coupé.

— Non, c'est pas toi que je voulais frapper, mais ce coq qui pue.

— C'est la même chose ! Si tu frappes ce coq, c'est que tu me frappes moi aussi. Tu le comprendras un jour, mais serai-je encore vivant quand tu t'en rendras compte ? »

***

Grand-père Moukila n'est plus de ce monde.

Il est mort à cause de la gourmandise de mon oncle Pandi qui avait tenu à manger le coq solitaire le jour du Nouvel An.

Tonton Pandi vivait derrière la case de grand-père. Chaque fin d'année, on devait choisir un coq dans le poulailler de grand-père pour célébrer la fête du Nouvel An. Jusque-là, le coq solitaire avait survécu parce qu'il écoutait aux portes et ne traînait pas loin du lieu où se déroulait la réunion familiale. Quand on décidait de manger deux jeunes coqs blancs, le coq solitaire savait qu'il n'était pas concerné. Et pendant des années il avait échappé de finir dans une marmite et dans notre ventre. Mais cette fois-ci, au mois de décembre, tonton Pandi avait déclaré devant toute la famille :

« Il faut manger ce coq solitaire, il est trop vieux et ne nous sert plus à rien. En plus, il pue et chante en pleine nuit ! »

Grand-père qui assistait à la réunion était resté silencieux. Le coq solitaire avait entendu les propos de tonton Pandi. Il a disparu avant le lever du jour et n'est revenu que vers le 5 janvier. On avait mangé deux autres coqs à sa place…

À la fin de l'année suivante, tonton Pandi a eu une autre idée. Il a dit pendant la réunion :

« Finalement, on ne mangera pas ce coq solitaire, il est trop vieux, il ne voit plus rien, il est idiot, il ne vaut pas la peine ! Si on le mange, on souffrira tous de la diarrhée, je propose qu'on mange plutôt les deux poules que nous avons achetées l'année dernière à Mouyondzi. »

Le coq solitaire, certain d'échapper encore une fois à son sort, n'a pas quitté le village. Le 1er janvier, à six heures du matin, mon oncle l'a attrapé devant la case de grand-père et lui a tranché la gorge d'un coup sec. La fête a été longue et joyeuse. Les adultes ont bu du vin de palme et ont dansé toute la journée. Les enfants buvaient du jus de gingembre et jouaient à cache-cache derrière les cases du village. Seul grand-père Moukila semblait s'ennuyer et somnolait dans son fauteuil en lianes.

À la fin de la journée, grand-père s'est retiré dans sa chambre en murmurant à la famille :

« Je pensais que vous m'aimiez, mais je me suis trompé toute ma vie. Je vous souhaite donc une bonne fête... »

Personne n'avait compris qu'il venait de dire ses dernières paroles et qu'on ne le reverrait plus.

Le 2 janvier, aux alentours de dix heures du matin, tonton Pandi est allé frapper à sa porte. Il a trouvé grand-père étendu par terre, les bras en croix. Il y avait autour de lui toutes les plumes du coq solitaire qu'on avait pourtant jetées loin du village.

C'est depuis ce jour que nous ne mangeons plus de coq, de peur de manger le double animal d'un membre de notre famille...

Rue Crimée

OXMO PUCCINO

La journée s'annonçait belle, la fin de l'année était entamée, mon troisième trimestre était satisfaisant mais peu mieux, j'ignorais la signification de cette phrase, mais ne pas redoubler allait agrémenter mes deux prochains mois. Je n'étais pas arrivé à dormir de la nuit, il était encore trop tôt mais, en faisant un détour par les Buttes-Chaumont, j'arriverais peut-être à temps pour l'ouverture du magasin. Ce matin, je ne voulais pas longer le cimetière de la rue Goubet, oublier la rue Petit et ses squats, et laisser le pont du canal de l'Ourcq qui vibre dangereusement si un train passait au même moment que vous, j'éviterais tout simplement la rue David-d'Angers ou la rue d'Hautpoul. Il fallait que je sorte immédiatement du quartier. Pour mon rendez-vous de ce matin, il fallait que je me fasse le 19 des gens heureux, celui où les frères et sœurs ont souvent chacun sa chambre et peuvent inviter leurs amis. Ce matin, j'allais me faire le 19 beau gosse, les chemins que l'on prend lorsque la classe est en sortie.

Plus j'approchais de mon but, plus la journée s'éclairait, j'en aurai mon compte pour dix jours. Avant que ma mère n'ait pensé à m'envoyer faire des courses, je finis mon bol de lait, tartine avant de fuir, mes frères arrivant à dormir dans les effluves d'eau de Javel dont ma mère aspergeait toute la maison avant de passer l'aspirateur dans nos oreilles. Quelquefois, j'avais l'impression que ma mère voulait dépoussiérer l'oreiller alors que ma joue y était encore.

Arrivé à la frontière de mon quartier, place Danube, je pris l'avenue du Général-Brunet en direction de Botzaris, la rue du Général-Brunet était le Neuilly-sur-Seine de mon quartier, les blocs sociaux et leur couleur estompée derrière moi, je jouissais de l'histoire des bâtisses des vieilles pierres de taille, les petites allées pavillonnaires fleuries, découpant la petite avenue, et montant toutes vers place des Fêtes.

Arrivé à Botzaris se présenta la plus grande partie de mon périple, la rue de Crimée. Une des plus grandes de l'arrondissement, elle prenait source à place des Fêtes et s'effaçait vers porte d'Aubervilliers. La rue de Crimée était longiligne et infinie, si j'apercevais mal le haut, tout le bas restait invisible à l'œil nu, mais toutes ces distances demeuraient en deçà du plaisir qui m'attendait. J'aime cette partie de la rue car elle longe les Buttes-Chaumont, les arbres qui sortent des barreaux, l'odeur du vert et le bruit du vent dans les branches, contrastant avec l'autre côté de la rue et ses immeubles où tous les appartements ont un balcon, avec des vitres fumées comme des lunettes de soleil. Je n'ai jamais compris l'attrait pour les balcons antisolaires : je trouvais ça logique sur les brochures qui vendent des maisons au bord de la mer, mais pas chez nous. À peine passé la rue Manin, je suis happé par une odeur de beurre chaud, celui des croissants au four, d'une boulangerie qui doit avoir cent ans. On aurait dit une femme de la campagne qui est montée avec ça et qui a vieilli ici, avec son mari dans sa boulangerie. Ma tête tourna jusqu'à l'avenue Jean-Jaurès, j'adore ce tronçon car il est « vieux Paris », il y a les quincailleries tenues par les Auvergnats en blouse grise, les vendeurs de tapis avec leurs marchandises sur les épaules, hélant les dames à leurs fenêtres, ma mère en avait acheté deux comme ça, ils sont encore en très bon état car on évite de trop marcher dessus.

Je continue à descendre cette rue de Crimée, qui faisait tout pour me presser par son degré d'inclinaison, pour perdre du temps, j'ai profité du spectacle offert par le canal de l'Ourcq, le pont était levé, ma décision fut prise de prendre l'escalier et me placer au sommet du pont de pierre fixe assez haut pour laisser passer les péniches. Et le canal qui se déroulait avec de la proue traçant vers la place de Stalingrad. De l'autre côté, je repasse le dernier bloc d'immeubles anciens avant de tourner et de tomber sur ma vitrine. J'arrivais avenue de Flandre et ce quartier m'a toujours frappé, c'était le bout du 19, je n'avais jamais été au-delà, là-bas s'étendait une banlieue inconnue de mon imagination. Cette rue était extraordinaire car l'architecture y était particulière, les immeubles étaient futuristes, aucun n'était droit, ils étaient peints en orange ou marron et montaient tous en escalier, en biseau, les fenêtres en diagonale, il y avait des magasins au rez-de-chaussée, même un BHV, au loin vers le métro Riquet se trouvaient les CKCjr (bande du quartier) mais à cette heure je ne risquais rien. De toute façon, je continuais dans le sens opposé, plus que quelques mètres et j'y étais...

Le magasin de jouets était ouvert, le grillage levé, le spectacle avait commencé, tout était là. C'était une reconstitution fidèle de la bataille de Hoth, il y avait les quadrupèdes qui tiraient sur les rebelles et le sol de sable devait venir d'un vrai désert. Au-dessus planait le faucon millénium avec Han Solo qui descendait accroché à une ficelle pour secourir Luke Skywalker, dont le X-wing touché allait s'écraser sur le sol, avant que le Snowspeeder de Luke ne s'enroule autour des pattes des chameaux mécaniques presque à taille réelle. Il y était encore, personne ne l'avait acheté alors que Dark Vador avait disparu cette semaine. Avant la fin, je regardais fixement Jabba le Hutt des yeux, pour garder ce souvenir pour les prochains jours, j'étais heureux, chargé pour au moins dix jours, je pris mon bonheur sur le dos et le sens inverse, avec un sourire encore plus large aux lèvres.

La mystérieuse affaire du tueur au stylo Bic

Romain Puértolas

Le premier mot que prononça l'officier de police Agatha Crispies lorsque le médecin légiste retourna le corps du jogger n'en fut à proprement parler pas un.

« Grumpppfffff », bafouilla-t-elle en crachant des morceaux entiers de son donut au chocolat qui atterrirent dans la grande mare de sang qui venait de s'étendre à ses pieds comme une tache de vin sur le front d'un politicien russe.

Elle s'écarta rapidement. Même en cumulant tous les cadavres qu'elle avait été amenée à croiser durant ses dix années de loyaux services dans la Metropolitan Police de New York, et cela en faisait un sacré paquet (ou un sacré charnier !), la femme n'avait jamais vu autant de litres de sang répandus sur le macadam. Elle ne pensait pas, d'ailleurs, qu'un corps humain puisse en contenir autant. Le sien, à la rigueur, mais le petit corps de marathonien anorexique de cet homme qui gisait à ses pieds… Non, c'était impensable.

L'océan rougeâtre, qui avait été contenu jusque-là par le poids du cadavre sur le sol, se faufila jusqu'à elle, glissant le long du talus, et elle dut sauter sur le côté pour ne pas tacher le tissu de ses Converse roses favorites.

« Il a un énorme trou de balle au bas du dos, conclut le médecin, affichant un air grave.

— Oh, la belle affaire ! s'exclama la policière en croquant à nouveau dans son donut. Comme nous tous, quoi !

— Celui-là est un peu plus gros que la moyenne, précisa l'homme.

— Chacun ses préférences sexuelles, dit la policière, satisfaite d'avoir deviné l'orientation sexuelle de la victime à la seule vue du petit short combi noir moulant qu'il portait.

— Non, je ne parle pas de ce trou, corrigea le légiste. Je parle de celui-là. »

Et il désigna de son index ganté une plaie au niveau des lombaires.

« Qu'est-ce qui a pu provoquer une telle blessure ? » demanda Agatha.

Le médecin dodelina de la tête, perplexe. C'était un homme et, comme tous les hommes, il avait du mal à avouer qu'il n'en avait aucune idée.

La policière dodelina de la tête à son tour, comme pour dire « je comprends », ou « je comprends qu'étant un homme vous ayez du mal à reconnaître que vous ignorez certaines choses ».

« Un trou de balle, je pense, conclut-il alors afin de ne pas passer pour un ignorant.

— Vous ne pouvez pas dire "impact de balle", docteur ?

— Un impact de balle, lieutenant.

— Bien, bien… » murmura-t-elle avant de commencer à tourner autour du cadavre.

Avant qu'elle entame le quatrième tour, le médecin se releva.

« Vous ne pourriez pas arrêter votre danse de la pluie ? Vous me donnez le tournis et je n'ai pas eu le temps de déjeuner ce matin. »

Absorbée par ses pensées, Agatha ignora les paroles de l'homme et continua son manège. Pas pour le regarder sous toutes les coutures, mais parce que marcher l'aidait à penser. Voilà une demi-heure qu'elle était arrivée sur la scène de crime et elle n'avait toujours rien noté sur son carnet Moleskine neuf. C'était mauvais signe. Elle n'avait même pas enlevé l'emballage en plastique. Aucun indice. Pas d'arme à feu à proximité, un corps non identifié (car on ne prend pas sa carte d'identité pour aller courir), aucune trace d'une tierce personne autour de la victime, pas de mégots de cigarettes, pas de motif. Rien. Juste quelques miettes de donut au chocolat.

« L'assassin mange des donuts au chocolat, dit-elle, satisfaite, en signalant les miettes éparpillées autour du cadavre.

— Ce sont les vôtres, lieutenant.

— Oh ! Bien sûr, bien sûr… »

La policière fit encore un tour.

« Il y a quelqu'un qui l'attend chez lui, assena-t-elle alors.

— Pourquoi vous dites cela ?

— Parce qu'il n'a pas de clef sur lui. Cela signifie que sa femme, ou plutôt son mec, à en juger par le petit short combi noir moulant, se trouve à son domicile, ajouta-t-elle sans arrêter de tourner autour du cadavre.

— Bonne déduction, mais cela ne vous avance pas. Il pourrait habiter partout. New York est grand. »

Le médecin signalait de son bras l'étendue des arbres de Central Park et la cime blanche des immeubles de luxe qui en émergeaient.

« Il n'a pas de carte de métro non plus. Il ne vit donc pas très loin. »

Peut-être devrait-elle passer le quartier au peigne fin et faire du porte-à-porte. Cela lui prendrait quelques années mais elle finirait bien un jour, c'était statistique, par frapper à la bonne porte, celle d'une veuve éplorée, ou d'un veuf éploré plutôt, si l'on se fiait au short combi noir moulant de la victime, et elle apprendrait alors l'identité du coureur, ce qui permettrait grandement d'avancer l'enquête.

Le crime de ma vie, pensa Agatha. Mon passeport pour le grade de capitaine. Et alors qu'elle allait entamer son dixième tour, et que le médecin était sur le point de rendre son dîner de la veille, elle s'arrêta d'un coup, semblant avoir vu quelque chose. Elle attrapa le pied du jogger par la pointe de sa chaussure de sport et l'amena à elle comme l'on examine le sabot d'un cheval. La *rigor mortis* ayant opéré, la jambe se plia non sans résistance, avec un petit craquement d'os de poulet.

Son visage s'illumina. La réponse était là. Devant ses yeux.

Quelqu'un avait griffonné au stylo Bic bleu, sur la semelle lisse des baskets de la victime, une suite de chiffres sans logique apparente. Excitée comme une petite fille devant un cadeau de Noël, la policière ouvrit enfin de son long ongle verni de Bordeaux 346 Chanel l'emballage en plastique de son Moleskine pour en recopier la séquence.

**

La première chose que fit Agatha Crispies en arrivant dans son bureau fut de piocher un donut au chocolat dans la corbeille posée à côté de son ordinateur. Elle en mordit un bout, le reposa sur le tapis de la souris avant de ranger son pistolet dans le tiroir.

Puis elle s'assit confortablement sur le coussin à fleurs non administratif posé sur son fauteuil administratif et se mit à pianoter sur le clavier. Maudite paperasse, pensa-t-elle. Car avant de se lancer plus en avant dans l'enquête, il fallait d'abord qu'elle tape le rapport de ses constatations de ce matin. La découverte du corps, les premières conclusions du légiste, l'heure de levée du corps, toutes ces informations inutiles pour l'investigation et pourtant nécessaires à la procédure. Sortir du bureau, se rendre sur une scène de crime, procéder aux constatations puis revenir au bureau prenait une heure, voire deux. En rendre compte en prenait le double. On ne voyait jamais cette partie du boulot dans les séries policières américaines. Si un jour cela arrivait à se savoir, les écoles de police seraient vides.

Tout en écrivant, elle se demandait à quoi pouvait bien correspondre la suite de chiffres écrite sur la semelle du mort. Il était évident que le criminel avait voulu laisser une piste, mais laquelle au juste ?

Agatha croqua dans son donut. Si elle devait trouver un inconvénient au fait d'être noire, c'était bien celui de ne pas pouvoir distinguer les taches de chocolat sur ses doigts. Du moins, avant qu'elles ne salissent les touches du clavier.

« Merde ! » s'exclama-t-elle, lorsque la lettre *Q* de son clavier disparut sous une trace de liquide noir.

« Tu déteins ? » lança son collègue avant de s'esclaffer.

Qu'est-ce qu'il peut être stupide, celui-là, pensa-t-elle. Puis elle tira un Kleenex d'une grosse boîte, l'imbiba de salive imbibée de chocolat et frotta la touche qui devint plus noire encore. Elle continua d'écrire ainsi son rapport jusqu'à la pause déjeuner.

À treize heures, elle piocha le troisième donut au chocolat de la journée, l'emballa dans un mouchoir en papier et se rendit à la cafétéria. Là, elle fit la queue au self-service, prit un hamburger, un verre taille XXL de Coca-Cola, et une salade de carottes râpées pour se donner bonne conscience. Elle était actuellement au régime. Puis elle alla s'asseoir à sa place préférée, juste en face de la baie vitrée qui surplombait la ville. À cette heure-ci, il n'y avait encore personne. Les patrouilles du matin revenaient vers treize heures trente au poste.

Elle versa la vinaigrette sur sa salade et but une gorgée de Coca-Cola tandis qu'elle posait sur la table son nouveau carnet Moleskine.

Elle lut plusieurs fois la suite de chiffres. L'assassin voulait jouer avec elle. Il ne serait pas déçu.

Lui revint alors en mémoire la période où elle préparait l'examen pour entrer dans la prestigieuse Metropolitan Police de New York et de toutes ces heures qu'elle avait passées à plancher dans sa petite chambre sur ces maudits tests psycho-techniques.

01120003152

Comme dans les tests mathématiques, elle essaya d'identifier une suite logique. Elle était bonne à ce petit jeu. Elle se concentra. Il fallait additionner 1 au premier chiffre, 0, pour donner le troisième, 1, puis encore 1 au troisième pour donner le quatrième, puis ôter 2, ce qui donnait 0 et puis… c'était n'importe quoi.

Finalement, elle n'était pas si bonne à ce petit jeu. Elle s'arma de patience et tritura les chiffres dans tous les sens, utilisant pour cela cinq pages de son Moleskine tout neuf. Au bout de quelques minutes, elle se dit qu'il s'agissait peut-être d'un numéro de Sécurité sociale, de mutuelle, de passeport. Il pouvait s'agir en effet de beaucoup de choses. Découragée, elle remit son régime à plus tard, finit son hamburger, et laissa la salade de côté puis sortit de sa poche le donut au chocolat. Son cerveau manquait cruellement de sucre.

***

Tout au long de l'après-midi, Agatha passa en revue les bribes d'informations dont elle disposait.

Et mangea six donuts au chocolat.

Un jogger vêtu d'un petit short combi moulant noir, et de chaussures de sport à la semelle biffée d'un coup de stylo Bic bleu, un trou béant au bas du dos, un petit arbuste dans Central Park derrière lequel on avait trouvé le corps, une heure approximative de décès remontant à la veille au soir, voilà tout ce dont elle disposait.

Elle cala son gros postérieur sur le coussin à fleurs et décida d'adopter la méthode Crispies, une méthode qu'elle tenait de son père, John Crispies, capitaine de la Metropolitan Police de New York, décédé suite à une indigestion de donuts au chocolat, ce que l'on assimilait ici à un accident du travail. La méthode Crispies consistait à prendre chaque élément dont on disposait et à noter tout ce qui vous passait par la tête, absolument tout. Son père avait résolu de nombreux cas apparemment insolubles de la sorte.

— Un short moulant noir (Gay ? Aime le noir ? Aime les Noirs ? Aime les moules ?).

— Un maillot jaune (Cocu ? Cycliste ? Aime la moutarde ? Aime le jaune d'œuf ? Élève des poussins à la campagne ?).

— Une séquence de chiffres écrite au stylo Bic bleu sur la semelle de l'une de ses chaussures de sport (Mathématicien ? Aime le bleu ? Aime les Schtroumpfs ? Écrit par l'assassin pour donner une piste ? Pour égarer ? Écrit par la victime pour donner une piste sur l'identité de son meurtrier ? Pour égarer ? Écrit par un passant ? Quel intérêt ? J'ai faim, il me faut du sucre, je mangerais bien un donut au chocolat, mince le panier est vide).

Agatha s'arrêta de noter. Elle réalisa que l'exercice d'écriture automatique était allé trop loin. Au lieu de s'éclaircir, les pistes allaient dans tous les sens et le mystère s'épaississait. Elle raya « Élève des poussins à la campagne ? » puis retourna le panier, comme si elle s'attendait à y trouver un donut collé dessous, ce qui était déjà arrivé. Déçue, elle se remit au travail.

— Un trou béant au bas du dos (Un coup de feu ? Un coup de couteau ? Un coup de poing de Chuck Norris ? Le Dormeur du Val de Rimbaud ? Un trou d'aération ?).

— Un arbuste dans Central Park (Un arbuste dans Central Park ? Un arbuste ? Central Park ?).

— Heure supposée du décès : vingt-deux heures trente (Dix heures trente P.M. ? Vingt-deux heures trente, heure de New York ? Heure de Londres ? Heure de Gaza ?).

Agatha regarda son œuvre. Un Picasso. Le talent en moins. Peut-être que la technique de son père n'était pas si bonne que cela après tout. Ou qu'elle manquait de pratique.

Gay aimant le jaune d'œuf, tué par Rimbaud dans un arbuste de Central Park à l'heure de Gaza, synthétisa-t-elle. Ce serait un bon titre pour un bouquin de Katherine Pancol, mais pas une solution pour un meurtre.

Bon, il était temps de se rendre à l'évidence, elle n'avait aucune piste par laquelle commencer. Il était surtout temps de descendre et d'aller acheter un panier de donuts au chocolat au Starbucks du coin.

***

Plus elle mangeait de donuts, plus son postérieur prenait des proportions démesurées et moins il entrait dans le fauteuil administratif. Il lui faudrait rapidement passer capitaine afin de disposer d'un siège un peu plus grand. L'ancienneté, liée à la consommation extrême de donuts au chocolat chez les policiers, donnait droit à des fauteuils de plus en plus larges selon les grades, le plus énorme (de cul et de fauteuil) étant celui du superintendant.

Elle se souvenait du jour où son père l'avait emmenée au commissariat, alors qu'elle n'était encore qu'une jeune obèse, pour lui montrer quelque chose d'important. Pas la glace, comme Aureliano Buendía dans *Cent ans de solitude*, ou le cimetière des livres perdus, comme Daniel Sempere dans *L'Ombre du vent*, mais « le coussin à fleurs de John Crispies ».

« Tu vois, ma chérie, lui avait-il dit avec un sourire malicieux, ce coussin sera un jour à toi. Oh, tu le trouveras ringard, ce coussin à fleurs, tout comme je l'ai trouvé ringard quand ta mère me l'a offert pour mon entrée au service, mais tu te souviendras toujours, quand je ne serai plus là, que c'était le coussin de ton père, le coussin qui a réchauffé ses petites fesses de capitaine pendant dix ans alors qu'il résolvait de grandes affaires criminelles, et qui réchauffera un jour les tiennes si tu te décides à suivre mes pas. Enfin, mes fesses. »

Et il y a quelques années, ce jour était venu. Ce coussin à fleurs ringard, aux coutures usées et aux motifs délavés, était maintenant à elle. Une larme glissa sur sa joue d'ébène, qui luisit un instant comme le joli nacre d'une huître, avant de venir s'écraser sur le panier de donuts au chocolat qu'elle tenait dans les mains. Elle deviendrait elle aussi une grande capitaine de la police de New York. De là-haut, son père serait fier d'elle.

Elle s'approcha de la caisse du Starbucks et tendit quelques billets alors qu'elle repensait à son enquête et aux mystérieux chiffres gribouillés sur la semelle de sa victime. À force de le triturer dans tous les sens, elle l'avait appris par cœur. Et comme elle avait son portefeuille ouvert dans la main, elle jeta un coup d'œil à sa carte d'assuré social. Non, la séquence ne correspondait pas à celui d'un numéro de Sécurité sociale américain. D'ailleurs, la Sécurité sociale américaine était un mythe...

Peut-être lui manquait-il un indice important qu'elle n'aurait pas vu, un indice nécessaire pour déchiffrer le code ? *01120003152*. Elle se rendrait ce soir à la morgue avant de rentrer chez elle. Elle en profiterait pour demander les conclusions de l'autopsie qui devait se pratiquer en ce moment même. Et elle récupérerait les vêtements de la victime avant que l'on ne les brûle ou ne les jette à la poubelle. Avant qu'elle ne croise dans la rue un vagabond arborant avec fierté les baskets neuves d'un cadavre et le joli petit short combi noir moulant.

***

Agatha arriva à la morgue à dix-neuf heures trente.

Le trafic n'avait pas été fluide et cela l'avait amenée à passer ses nerfs sur quatre donuts au chocolat. En réalité, elle mangeait des donuts comme d'autres fumaient des cigarettes. Tant que l'on ne mettrait pas des photos de femmes obèses afro-américaines sur les paquets de donuts, avec la mention MANGER DES DONUTS TUE ! ou MANGER DES DONUTS NUIT GRAVEMENT À LA FORME DE VOTRE CUL !, la menace demeurerait virtuelle, et la prévention, vaine.

« Bonsoir, lieutenant Crispies, lança le médecin légiste en voyant la femme entrer dans son cabinet.

— Bonsoir, docteur, vous vous êtes remis de ce matin ? lui demanda-t-elle.

— J'ai vomi et j'ai pris un bon petit déjeuner, tout va bien.

— Bien, bien. Alors ?

— Les baskets sont neuves, dit l'homme.

— Pardon ?

— Ses baskets sont neuves. Je pensais que cela pouvait vous intéresser.

— Oui, enfin, pas la peine de charcuter un cadavre pour conclure que ses chaussures sont neuves, non ? C'est plutôt le trou qui m'intéresse.

— Le trou de balle ?

— L'*impact* de balle, docteur.

142

— Oui, eh bien, il ne s'agit pas d'un trou de balle, ou d'un impact de balle, comme vous dites. Ce n'est qu'une plaie due à… une branche d'arbre.

— Pardon ?

— Une branche d'arbre.

— En êtes-vous sûr ?

— J'ai retrouvé de minuscules morceaux d'écorce dans la plaie. Si vous retournez sur les lieux du crime et que vous cherchez bien, je suis sûr que vous pourrez mettre la main sur la branche. Il devrait encore y avoir du sang à son extrémité.

— Et comment il a pu se retrouver avec cette branche d'arbre dans…

— Dans les fesses ?

— Dans le bas du dos.

— Eh bien, là, je sèche. Comme la branche d'arbre ! Ha, ha ! »

L'homme éclata de rire.

Voyant que la policière n'appréciait guère son humour, il reprit son sérieux.

« Faut-il conclure à un suicide, docteur ? demanda la policière. Parce que ce serait embêtant pour mon avancement.

— Difficile, étant donné la position de la plaie. Mais pourquoi pas un accident ?

— Un accident ? répéta Agatha, déçue et horrifiée à l'idée de voir son grade de capitaine et son gros fauteuil s'éloigner. C'est tout aussi embêtant. Je rêve d'un bon gros tueur en série, vous comprenez. Il y va de ma carrière. Et de mon fauteuil…

— Je comprends, mais je vais vous dire comment, selon moi, tout s'est passé. À mon humble avis, le pauvre bougre faisait son jogging hier soir quand il a dû tomber dans le talus, fesses les premières. Il s'est empalé sur une branche d'arbre qui a cassé sous son poids et a roulé plus loin. L'homme, caché derrière les arbustes, s'est vidé de son sang toute la nuit sans que personne le voie et puisse lui prêter secours. Voilà, c'est aussi simple que cela, mais libre à vous d'imaginer un sordide empaleur de joggers en série !

— Et le numéro sur la semelle, alors ? »

Le légiste haussa les épaules.

« Je n'en ai aucune idée. C'est vous la policière.

— Exactement ! Et vous savez ce que je pense, moi ? Que tout cela n'est pas un accident. Nous avons affaire à un assassin très intelligent qui veut jouer avec moi en me délivrant des énigmes mathématiques. Vous pouvez en croire mon expérience, il ne va pas s'arrêter à ce seul crime, docteur. C'est le profil d'un tueur en série qui vient de commencer à prendre goût au meurtre. Vous n'avez pas fini d'entendre parler du tueur au Bic bleu et de la lieutenant Agatha Crispies », se convainquit-elle.

Disant cela, elle vit dans son esprit son grade de capitaine et son gros fauteuil à nouveau plus accessibles. La policière sortit alors un donut au chocolat de sa poche et croqua dedans avec un air déterminé.

**

Quelques semaines auparavant, dans la banlieue de New Delhi

144

Accroupi sur le sol terreux, pieds nus, Chapkadi était en train de coller un morceau de tissu jaune à la semelle d'une basket. C'était le même geste qu'il répétait toute la journée, tous les jours, et pour lequel la grande marque de matériel sportif européenne le payait une poignée de roupies. Il fabriquait des chaussures mais marchait pieds nus parce qu'il n'avait pas assez d'argent pour s'en acheter. Quelle ironie ! Il avait bien pensé en voler une paire, un jour, mais on aurait tôt fait de lui mettre la main dessus et il ne voulait pas perdre son travail, si pénible et peu rémunéré fût-il.

L'enfant posa la basket sur un étal avec les autres et en reprit une autre. Le travail à la chaîne durerait jusqu'au soir.

Un instant, le soleil se voila au-dessus de lui, comme si un nuage s'était arrêté devant. L'enfant releva les yeux et tomba sur deux magnifiques genoux. Il reconnut immédiatement cette peau toastée et douce. Son regard parcourut les jolies jambes, remonta la robe à fleurs, passa la poitrine naissante, se glissa sur le cou fin et s'arrêta sur le visage de Sidkaar.

« Salut, dit-elle de sa voix douce.

— Namasté », répondit-il, une basket et un pistolet à colle dans les mains.

À sa vue, chaque particule de son corps vibrait. Il en était follement amoureux mais c'était la première fois qu'elle abandonnait son poste de travail pour daigner venir lui parler.

« Je n'ai plus de colle, dit-elle. Je voulais savoir si...

— Oh ! s'exclama-t-il en lui tendant son pistolet. Je te passe le mien.

— Et toi, comment feras-tu ?

— Je rangerai les chaussures sèches dans le carton.

— Je m'appelle Sidkaar, dit-elle.

— Je sais, dit-il. Et moi, Chapkadi.

— Je sais », dit-elle.

Et ils rirent.

Ils se regardèrent un instant, immobiles et silencieux.

« Ça te dirait qu'on sorte ensemble ce week-end ? » proposa le jeune Indien dans un élan de courage.

Sidkaar, bien qu'ayant la peau toastée, rougit.

« Ça me dirait, oui, répondit-elle sans détourner le regard du pistolet à colle.

— Tu me donnes ton numéro de téléphone ? On ne sait jamais. »

La jeune fille acquiesça de la tête et commença à réciter.

Affolé, Chapkadi attrapa le premier stylo Bic qui lui tomba sous la main et chercha un bout de papier. Comme il n'en trouva pas, il saisit la basket qu'il venait de coller et écrivit le numéro sur la semelle.

01120003152

« À samedi alors », dit Sidkaar et elle tourna les talons, un sourire aux lèvres.

Assailli par les sentiments, le cœur frappant à tout rompre dans sa poitrine et les tempes bourdonnantes, l'enfant se remit au travail, l'esprit plein des sourires et des paroles de Sidkaar. Sans s'en rendre compte, il rangea la basket dont il venait de gribouiller la semelle dans le carton des chaussures qui partiraient le soir même aux quatre coins du monde.

La lettre de Miss Sebold

Tatiana de Rosnay

La fillette n'est pas américaine, mais tous les matins, elle doit se lever, avec les autres élèves de la classe de Miss Sebold, mettre la main sur son cœur, et déclarer son allégeance au pays. Elle ne sait pas très bien pourquoi elle doit faire ça, puisqu'elle est française, mais personne ne lui dit de ne pas le faire. Mine de rien, elle se sent fière. Les autres élèves semblent fiers aussi, mais eux, ils sont tous américains. Miss Sebold est fascinante. Elle a les cheveux d'une blondeur extrême, presque blanche. Ils sont coupés au carré et ils bougent légèrement lorsqu'elle oscille la tête. Sa peau est blanche aussi, et ses yeux, gris-bleu. Sa voix est douce et agréable à écouter. Miss Sebold n'a pas besoin de gronder les élèves parce que tout le monde l'écoute. Tout le monde a envie de la regarder et de l'écouter, même ceux qui, d'habitude, perturbent la classe avec des bêtises. Ses gestes sont apaisants et fluides. Parfois, elle sourit, et la fillette aperçoit l'éclat de petites dents perlées. Un jour, Miss Sebold, après les cours, lui tend une enveloppe. La petite fille sait lire et écrire depuis deux ans déjà, elle constate que le nom de sa mère est tracé sur l'enveloppe. Miss Sebold lui demande de donner cette lettre à sa maman. C'est très important, elle lui précise. La fillette glisse l'enveloppe dans son carnet. Elle la donnera à sa mère, cet après-midi, à la fin des cours. Elle se demande ce qu'il y a dedans. Pourquoi Miss Sebold a-t-elle écrit à sa mère ? Que souhaite-t-elle lui dire ? Elle s'inquiète. A-t-elle fait quelque chose de mal ? Elle a beau chercher, elle ne voit pas. Elle n'a que des étoiles dans son carnet, et surtout des étoiles dorées, les plus prestigieuses. Cela veut dire qu'elle travaille bien, que ses parents sont fiers d'elle, fiers de cette constellation d'étoiles dorées.

Pendant le reste de la matinée, la fillette pense à la lettre dans son carnet. Elle imagine Miss Sebold en train d'écrire à sa mère, elle se demande où cette lettre a été écrite. Quelle est la vie de Miss Sebold ? Elle n'en sait rien, sauf qu'une fois, à la sortie des cours, il y avait un jeune homme brun dans une Volkswagen Coccinelle qui attendait un peu plus haut sur Druce Street, et elle avait vu Miss Sebold se glisser dans la voiture, et déposer un baiser sur la joue du jeune homme. À l'heure du déjeuner, la fillette se rend à la cantine avec ses amies, Miranda et Katie. Elles se moquent de l'accent de la fillette. Ce n'est jamais méchant, mais parfois, elle aimerait avoir leur accent, et pas le sien. Elle a beau savoir que son père est franco-russe et sa mère anglaise, elle souhaite plus que tout ressembler à ses amies américaines. Elle n'aime pas être différente. Elle ne voudrait plus avoir ce prénom russe si long à écrire, ni ce patronyme français qu'on lui fait tout le temps répéter, avec ce *s* traître, censé être silencieux, mais que les Américains prononcent toujours, comme s'il était un *z*.

Katie et Miranda ont des « lunch box » préparées par leurs mamans, des sandwichs faits avec des tranches de pain de mie blanc, tartinées de beurre de cacahuète et de gelée de fraises, et comme dessert, des spirales de réglisse rouge et des raisins secs dans un étui cartonné estampillé du doux visage d'une jeune fille coiffée d'un bonnet. Sa maman à elle confectionne d'autres mets, un œuf dur, une tranche de fromage, du pain complet, une pomme Granny-Smith, des abricots secs. Elle aimerait dire à sa maman de faire les mêmes choses que les autres mamans, mais elle n'ose pas. Et puis, elle n'a pas de « lunch-box », cette boîte métallique à l'effigie de Snoopy, juste un Tupperware dans un sac en plastique.

L'autre jour, elle avait réussi à avouer à sa maman qu'elle aurait aimé une autre robe pour sa première communion. La sienne était simple, droite et blanche, et dans ses cheveux, sa maman avait attaché un petit ruban blanc. Elle avait aussi des sandales blanches à bouts carrés qui lui faisaient un peu mal aux pieds. Le jour de la cérémonie, elle en avait eu le souffle coupé : Miranda et Katie et toutes les autres filles qui faisaient leur première communion, rivalisaient d'une sophistication époustouflante. Leurs robes avaient des jupes bouffantes, bordées de tulle, des corsages au tissu moiré, des manches blousantes. Elles portaient des collants blancs, alors qu'elle n'avait que ses socquettes, et leurs chaussures, si féminines, avaient même des petits talons. Et ce n'était pas tout ! Ébahie, la fillette détailla les savants effets de coiffure, tresses, chignons, et ces fines tiares de nacre et de brillants qui rejetaient en arrière leur voile comme si elles étaient de jeunes mariées. Son voile à elle n'était qu'un carré de dentelle blanche qu'elle devait poser sur sa tête, tel un fichu. Sa maman lui avait expliqué à voix basse que ces petites filles n'étaient pas élégantes, que ce n'était pas distingué de s'habiller ainsi pour un événement religieux. Mais la fillette n'était pas d'accord. Elle aurait tant voulu porter une robe bouffante et une tiare.

L'après-midi, les élèves de Miss Sebold vont jouer dans un jardin public un peu plus loin, sur Fisher Hill. La fillette attend ce moment avec impatience. Ce jardin lui fait un peu peur. Pourquoi ? Elle ne saurait dire. Il y règne une ambiance étrange, féerique. Un manoir gris au toit pointu, aux volets toujours clos, se dresse tout en haut d'une colline. Vu d'un angle précis, la petite fille trouve que le manoir a un visage, deux fenêtres forment ses yeux, une gouttière, son long nez, et la porte, sa bouche. La maison arbore une expression de stupeur, comme si elle était parfaitement étonnée. Autour d'elle, le jardin s'étale comme une couverture verte. Dans les allées, la fillette admire les statues de pierre. Ses préférées sont un lion à la crinière opulente, une fière licorne et une naïade qui porte un grand coquillage. Avec Katie et Miranda, elles jouent à cache-cache. Elle se dissimule derrière le lion, se fait la plus petite possible. Elle entend le gravier qui crisse. Son cœur tambourine. Elle se recroqueville, ferme les yeux. Elle compte dans sa tête, un deux trois. Elle peut rouvrir les yeux. Personne. Là-haut, le manoir a toujours son drôle de visage ahuri. Oh, on dirait que la licorne a bougé !

C'est l'heure de rentrer. Miss Sebold leur a demandé d'écrire une rédaction. C'est Mrs Blaine qui les surveille pendant le devoir. La fillette aime moins Mrs Blaine. Elle a les cheveux courts et crantés, de grosses lunettes aux montures bleues. Elle parle fort et parfois elle ricane. Il faut faire attention avec Mrs Blaine, il vaut mieux ne pas l'énerver. Mrs Blaine est capable de mettre un élève au coin, elle l'a déjà fait avec Jimmy la semaine dernière, lorsqu'il avait été insolent. Le thème de la rédaction est : *Raconte tes grandes vacances.* Par où commencer ? Il y a tant de choses à dire. La fillette remarque que Miranda et Katie n'ont pas l'air inspirées et mordillent le bout de leur crayon en soupirant. Comment ne pas être transportée par un tel sujet, se demande-t-elle. Elle se lance, plaquant bien sa paume contre la feuille pour la tenir. Elle décrit la petite maison en bois vert qui surplombe la falaise et la mer, que ses parents ont louée pour l'été à Nahant. Les voisins d'à côté ont un berger allemand, Rex, qui la terrorise. Il a les yeux orange et un air féroce. Lorsque le frisbee passe dans le jardin des voisins, la fillette ne veut pas y aller, tant Rex est menaçant. Sa sœur n'a jamais peur, elle va chercher le frisbee sans flancher. Chaque jour, leur père prend sa planche de surf et glisse sur les vagues, en bas, sur la plage. Elle aime bien le regarder. Il ne se lasse pas de prendre une vague après l'autre. Il est capable de faire cela pendant des heures. Elle aimerait bien essayer, mais il dit qu'elle est trop petite encore, qu'elle doit savoir mieux nager. Leur mère lit sur la plage. Un grand chapeau de paille la protège du soleil. Elle est d'une grande patience, capable d'attendre un après-midi entier que son mari sorte de l'eau, épuisé et heureux. La fillette a juste le temps de terminer sa phrase, et c'est déjà l'heure de rendre sa copie. Elle n'en revient pas. Elle a noirci trois pages de son écriture irrégulière. Elle constate que Katie et Miranda ont écrit à peine un paragraphe. Peut-être que son devoir est trop long ? Elle aurait dû faire plus court. C'est trop tard, maintenant. Pourtant, sa dernière rédaction avait été encore plus longue, et elle avait eu une bonne note. Ça la rassure, un peu.

Lors de la dernière composition, où elle avait obtenu trois étoiles d'or, il fallait raconter un souvenir qui faisait peur. Encore un sujet passionnant ! Elle avait choisi d'évoquer la demeure dans laquelle elle habitait l'année dernière, sur Carlton Street, une haute maison de briques rouges avec un petit jardin. Une partie du bâtiment était réservée au propriétaire, un certain Dr Rogosch. Il ne fallait jamais ouvrir la porte du premier étage qui communiquait avec l'appartement du Dr Rogosch. C'était interdit. Pourquoi cette porte fermée était-elle aussi captivante ? La fillette avait tenté de décrire cette attirance dans son devoir. Chaque fois qu'elle passait devant le palier du premier étage où se trouvait cette porte, elle ralentissait et, lorsqu'elle était seule, elle plaquait son oreille contre le battant. Une fois, elle avait sursauté, car un téléphone avait sonné, il y avait eu un bruit de pas, et une voix masculine s'était fait entendre. Elle ne savait pas à quoi ressemblait le Dr Rogosch, mais rien que ce patronyme aux sonorités rugueuses l'impressionnait. Un jour, elle avait appuyé sur la poignée et, à sa stupeur, la porte s'ouvrit, elle n'était pas fermée à clef. Un long couloir sombre se déployait devant elle. Au bout, elle distingua une pièce mal éclairée. Elle capta une résonance de vaisselle qu'on rangeait. L'odeur qui régnait là, des relents de tabac, des parfums inconnus, était très différente de leur partie de la maison. Sans réfléchir, elle mit un pied dans le couloir. Voilà, elle était chez lui, chez cet étrange docteur. Soudain, des éclats de voix s'élevèrent, là-bas, au bout du couloir. Elle recula, tenta de ramener la porte vers elle, mais dans sa précipitation, celle-ci se referma avec un fracas épouvantable. Apeurée, elle dévala les escaliers. Lorsqu'elle arriva au rez-de-chaussée, elle s'immobilisa. Puis elle entendit le cliquetis d'un verrou qu'on rabattait rageusement. Le Dr Rogosch avait bloqué de son côté. Mais pourquoi la porte était-elle ouverte, se demanda-t-elle ? Le docteur venait-il chez eux lorsqu'il n'y avait personne ? Ou pire encore, s'introduisait-il furtivement dans leurs appartements, la nuit venue, pendant qu'ils dormaient ? Rôdait-il dans le noir, les mains devant lui ? Cette pensée l'affolait, surtout depuis que Miss Sebold leur avait lu *Le Cœur révélateur* d'Edgar Allan Poe, un conte noir et puissant qui l'avait empêchée de dormir.

Avant de rentrer à la maison, et de pouvoir remettre la lettre à sa mère, il faut encore aller au cours de danse, sur Buckminster Road. C'est la mère de Katie qui les emmène. Il faut enfiler le justaucorps rose, chausser les ballerines roses elles aussi, s'attacher les cheveux. Le professeur de danse est russe. Olga sait parfaitement prononcer son prénom, avec une théâtralité facétieuse qui la fait sourire. Parfois, Olga utilise des diminutifs rigolos : *Taniouchka, Tanetchka, Tatotchka*. Olga est pointilleuse sur le port de tête. Une ballerine doit toucher le ciel avec le haut de son crâne. Elle roule des *r* et son rire éclate dans la grande salle blanche. La fillette essaie de se tenir très droite, elle imagine que sa tête frôle le plafond. Olga remarque toujours si la jambe n'est pas bien tendue, si la main n'est pas gracieuse. Elle passe derrière chaque danseuse et tapote là où ça ne va pas. La petite fille se concentre, mais elle ne peut s'empêcher de penser à la lettre de Miss Sebold. Et si elle la lisait ? Elle pourrait tenter d'ouvrir l'enveloppe sans la déchirer. Non, c'est impossible, elle ne pourrait jamais la refermer, et sa mère verrait bien qu'elle l'avait ouverte. Il n'y a rien à faire. Elle doit attendre. Ou alors, elle pourrait tout simplement ne pas donner la lettre à sa mère ! Non, ce n'est pas une bonne idée non plus, surtout si la lettre de Miss Sebold exige une réponse. Après le cours de danse, en arrivant à la maison, la fillette pose la lettre en évidence sur la table de la cuisine. Avant de la laisser, elle la porte à son nez. Sur le papier flotte le parfum léger et citronné de Miss Sebold. Sa mère est au téléphone avec son amie Linda. Elle entend sa voix enjouée, son rire. Quand sa mère aura lu la lettre de Miss Sebold, aura-t-elle toujours envie de rire ? Elle monte dans sa chambre, s'assied à son petit bureau. De sa fenêtre, elle voit le jardin d'en face, chez les Fairfax. La pelouse est toujours bien entretenue. Mrs Fairfax s'occupe de ses rosiers avec application. Comme c'est difficile d'attendre que sa mère lise cette lettre ! Les minutes qui s'écoulent sont interminables. Elle se plonge dans un conte d'Edgar Allan Poe.

À l'heure du dîner, servi tôt, car leur père rentre tard de l'université où il enseigne, le visage de sa mère ne semble pas différent. Pourtant, elle a lu la lettre, car l'enveloppe est décachetée. Sa mère réprimande en douceur le petit frère qui s'agite, sourit et parle comme elle le fait chaque soir. La fillette est de plus en plus tourmentée. Elle n'ose pas évoquer la lettre de Miss Sebold. Il va bien falloir qu'elle le fasse. Parfois, le regard de sa mère se pose sur elle, avec une tendresse amusée. On dirait que sa mère attend qu'elle lui parle, qu'elle lui pose la question. Alors, la petite fille se lance, avec un ton léger, comme si ce n'était pas important, comme si elle s'en fichait. Elle fait semblant de s'intéresser à ses spaghettis, elle ne regarde pas le visage de sa mère. *Qu'est-ce qu'elle te dit dans sa lettre, Miss Sebold ?*

Pour toute réponse, sa mère lui tend la lettre avec un sourire. La fillette se lève, elle ne veut pas la lire à table et risquer de la tacher avec de la sauce tomate. Ses mains tremblent un peu. L'écriture de Miss Sebold, qu'elle connaît si bien, est ramassée et régulière. Elle termine ses *s* avec de petites boucles.

Chère Madame,

Un mot pour vous dire que votre fille s'adapte très bien à sa classe. Elle n'a plus peur de prendre la parole. Elle se sent à l'aise avec ses petits camarades. Son anglais est parfait. Sa timidité s'évanouit de jour en jour. Elle est maintenant tout à fait capable de faire des exposés, de réciter des poèmes, ce qui n'était pas le cas lors de son arrivée. Je suis très satisfaite de son travail. La petite Française qui n'osait pas parler et encore moins écrire est bien loin.

Justement, à propos de ses rédactions, vous avez dû remarquer qu'elles ont obtenu les meilleures notes de la classe. Votre fille a une imagination débordante, un appétit de lecture particulièrement vorace. Toutes ses compositions mettent en scène des histoires qu'elle sait déjà raconter, bâtir. Elle parvient à décrire une ambiance, à évoquer des détails.

Si jamais, plus tard, votre fille décide d'écrire, je ne serais pas étonnée. Je sais que, comme moi, vous saurez l'encourager. Peut-être qu'un jour, votre fille deviendra une romancière reconnue. Je serais alors fière de dire que j'ai été son professeur.

Bien à vous,
Miss Heather Sebold.

La poussière d'or

ERIC-EMMANUEL SCHMITT

« Tu vois, mon garçon : un jour, tu seras riche. »

Le grand-père et l'enfant contemplaient l'intérieur du coffre-fort ; vingt lingots lisses et luisants tapissaient le fond ; trois boîtes en verre les précédaient, garnies de pièces d'or à profusion ; des liasses de billets, très compactes, habillaient les côtés.

Selon l'enfant, il manquait des pierres précieuses pour que cela ressemble totalement aux trésors qu'on décrit dans les contes, mais il garda cette remarque pour lui.

Le grand-père caressa les boîtes.

« Il y en a pour des millions !

— Des millions ? » reprit l'enfant ébloui.

Il avait toujours adoré ce mot, « million », dont la sonorité claire et liquide évoquait l'or fondu. Rien qu'à prononcer « un million » entre ses lèvres roses, il éprouvait du plaisir. Alors « des millions »...

« Plus tard, ce sera ton tour : tu hériteras.

— Quand ?

— Un temps lointain, j'espère. »

L'enfant bougonna. Même si pour lui un temps lointain se situait entre quinze jours et cent ans, il détestait tout délai.

« Dommage… »

Le grand-père dégagea de sa poche l'enveloppe cartonnée qui recelait des documents officiels.

« Avant que ces millions te reviennent, il faudra d'abord que je meure, ton père ensuite. »

L'enfant hésitait entre l'émerveillement et l'inquiétude. Il soupira :

« Ça fait beaucoup de morts…

— C'est le prix de la richesse : des morts. »

Le grand-père rangea l'enveloppe, le pria de reculer puis ferma l'armoire d'acier à l'aide d'une longue clef fine.

L'enfant fixa la porte rectangulaire, baissa les yeux, se concentra pour obliger sa mémoire à retenir « 2B34 », matricule qu'il se répéta intérieurement dix fois car son avenir en dépendait, et releva les paupières.

Autour d'eux, des centaines de coffres s'étageaient sur les parois de la banque. Chacun devait dissimuler des millions.

« As-tu essayé d'ouvrir les autres avec ta clef, grand-père ?

— Ils ne m'appartiennent pas. Et chaque clef reste unique.

— Ah…

— Ne te casse pas la tête. Un jour, tu auras ça en mains. Un jour, tu seras riche. »

Comme pour le lui prouver, il déposa la clef dans les paumes humides de l'enfant. Celui-ci la reçut, la mesura avec attention, gravité, respect. Il ne la lui rendit qu'à regret.

Derrière les barreaux de fer, le gardien armé qui veillait débloqua le portillon sécurisé. Tandis que l'adulte le remerciait, l'enfant, lui, n'adressa ni mot ni regard à l'employé. Pourquoi se contraindrait-il ? Après tout, il était riche...

**

Ils étaient deux. Paul et Virgile. Deux frères coulés dans le même moule de chair, dorés, bruns, vifs, graciles, tapageurs.

Nés à un an d'écart, ils débordaient d'une énergie complice. Quand l'un entamait une phrase, l'autre la terminait. Dès que le premier s'accroupissait avec cette lueur dans l'œil qui signifiait « chiche ? », le second ripostait en prenant une pose de lutteur, et un jeu s'ensuivait dont les règles s'improvisaient aisément. Les gens avaient l'impression que, tels des chiots turbulents, Paul et Virgile n'avaient été envoyés sur terre que pour s'amuser. Ils chahutaient toute la journée, criaient, chantaient, bouffonnaient, et, au soir, sautaient encore sur leur matelas en braillant avant de s'écrouler dans les draps, ivres de fatigue, goûtant intensément la vie jusqu'à l'extrême seconde, à l'instar d'un alcoolique qui lèche la dernière goutte sur le goulot. Leur mère disait qu'ils ne connaissaient ni le repos ni le sommeil, seulement l'épuisement.

Les deux frères s'aimaient-ils ? Ils ne s'étaient jamais posé la question. Paul, qui avait vu le jour le premier, avait oublié ses mois solitaires et estimait normal qu'on l'ait doté d'un compagnon d'ébats. Quant à Virgile, il avait toujours profité de la présence stimulante de son aîné et n'imaginait pas que son existence pût se dérouler en son absence.

L'amour exige-t-il la séparation pour se manifester ? Sans doute faut-il se manquer pour se désirer... Continûment ensemble, les frères considéraient leur attelage comme un fait nécessaire. Dépourvu de recul, chacun ignorait ce qu'il serait sans l'autre ou ce que l'autre serait sans lui.

Les grands-pères entaillèrent la paire.

Cet été-là, en 1970, les parents quémandèrent un mois de répit. « Depuis dix ans, nous vivons avec Paul et Virgile, dans leur vigueur, dans leur vacarme. Nous avons besoin de nous retrouver tous les deux. » L'entourage approuva, conscient qu'un couple d'amoureux subsistait difficilement auprès de tels diables.

Devinant que, en dehors d'eux, personne n'arriverait à supporter leurs fils plus de vingt-quatre heures, les époux décidèrent de les séparer : Paul se rendrait à Cannes chez son grand-père paternel ; Virgile irait rejoindre ses grands-parents maternels à Lyon.

Les garçons encaissèrent le coup. Deux violences leur étaient infligées : quitter les parents, quitter le frère. S'ils n'en avaient enduré qu'une – le départ des parents –, ils auraient exprimé leur rage, mais privés l'un de l'autre, ils ne surent réagir, hébétés.

Paul s'installa chez son grand-père de Cannes. Celui-ci possédait une colossale villa sur les coteaux, maison acquise par la famille deux générations auparavant. Dans cette bâtisse au crépi orangé, qui offrait l'ombre de hautes chambres fraîches, il comprit vite qu'il régnerait à condition de laisser son grand-père tranquille et de ne le croiser qu'aux repas. Il s'employa donc à devenir le meneur des gamins qui pullulaient dans le coin, certains natifs du Sud, d'autres venant de Paris le temps des congés. Il ordonna, récompensa, rit, punit, félicita, organisa, tyrannisa, si bien qu'au bout d'une semaine, à la tête d'une bande bruyante mais docile, il ne regrettait plus Virgile.

Le grand-père cannois n'avait jamais travaillé. À vingt ans, lorsqu'il avait hérité de divers immeubles achetés par ses aïeux à la sueur de leur front, il avait conclu qu'entreprendre des études relevait du ridicule pour un rentier. Après avoir nommé un régisseur et un comptable, il ne s'était plus occupé de ses affaires et s'était consacré à une collection napoléonienne. Drapeaux, lances, fusils, oriflammes ornaient les pièces, deux grognards en cire accueillaient les visiteurs à l'entrée du salon tandis qu'à la cave, d'immenses maquettes couvertes de soldats en plomb reconstituaient les batailles victorieuses, Marengo, Austerlitz, Iéna, Friedland, Wagram. Quant à ses chiens, ils s'étaient successivement appelés Murat, Bernadotte, Lannes et Moncey, le maître se payant le luxe d'être obéi par des maréchaux d'Empire.

Son fils, le père de Paul et Virgile, avait mollement appris l'anglais et, depuis son mariage, donnait des leçons dans un cours de jeunes filles en attendant de toucher le pactole. Régulièrement, sitôt qu'il se trouvait à court d'argent, il filait à Cannes pour réclamer une avance sur son héritage. Les discussions tournaient chaque fois à la dispute où le fils ne l'emportait qu'après avoir énoncé la formule magique : « Tout le monde n'a pas la chance, comme toi, d'être orphelin à vingt ans ! » Cette phrase recevait une gifle immédiate, mais était suivie, une heure plus tard, du chèque demandé.

Au fil de l'été – et les années qui succédèrent –, Paul accompagna souvent son grand-père à la banque. Comme lui, il aimait arpenter la salle des coffres pour observer les formes concrètes de leur fortune. « 2B34 »... Les lingots... Les napoléons... Les liasses de grosses coupures...

« Un jour, ton tour viendra, mon garçon : tu seras riche. »

Dans l'appartement de la Croix-Rousse, sur l'une des deux collines qui dominent Lyon, Virgile se surprit à découvrir que, loin de Paul, il savourait la tranquillité. Avait-il d'ailleurs le choix auprès de ce grand-père François, immobile, qui sertissait des bagues dans la partie atelier de la cuisine pendant que sa grand-mère vaquait aux tâches ménagères ? Une nappe de silence figeait l'atmosphère sereine et laborieuse du lieu. Le logement se révélait plus haut que grand, car il avait autrefois contenu le métier à tisser des canuts, lequel nécessitait un plafond de quatre mètres. Ses volumes impressionnants imposaient une solennité propice à la rêverie. De temps en temps, le grand-père François interrompait cette paix pour écouter ses émissions de radio favorites, un feuilleton cocasse, une pièce de théâtre, une conférence sur l'Histoire, un hit-parade de chansons, mais il usait avec parcimonie de son poste – comme de tout –, ne laissant pas l'appareil bavarder sans contrôle, le rendant muet sitôt le programme terminé.

Durant ce mois d'août caniculaire, Virgile se mit à lire. Réfugié dans l'alcôve, il s'allongeait sur un épais duvet, soyeux, brodé et se plongeait dans les romans qui avaient appartenu à sa mère : de *Gribouille* aux *Mémoires d'un âne*, il épuisa l'œuvre de la comtesse de Ségur, enchaîna avec les Rouletabille, les Pardaillan, les Fantomas, les Arsène Lupin. Émerveillé, il avait l'impression de se réveiller, de sortir de l'enfance, ce chaos indistinct où chaque seconde le consumait, pour entrer dans une vie plus riche où les minutes et les heures permettaient de grandir, d'explorer l'univers infini, de développer sa perception des êtres.

Son grand-père le fascinait. Il l'aima.

Tout ce que François faisait avait un sens : parler, se taire, travailler. Rien d'inutile ne parasitait ce géant, fort et doux, dont le regard bienveillant réchauffait Virgile. Sans cesse, il taillait, polissait, enchâssait, posé, minutieux, précis, indifférent au style des bijoux qu'on lui donnait à créer ou à réparer, uniquement soucieux du bon ouvrage. Le matin, il nouait à son cou un tablier en cuir dont le bas s'agrafait sous l'atelier ; le long du jour, la poudre de métal se déposait dans ses plis ; au soir, le grand-père décrochait délicatement le tablier et récoltait la poussière d'or au creux d'une pipette en verre. À Virgile, la quantité quotidienne paraissait dérisoire, voire invisible, mais François souriait.

Cet été-là marqua Virgile à jamais : ce fut l'été de sa métamorphose, de sa seconde naissance. Il se souhaita une profession semblable à celle de son grand-père, silencieuse, méditative, concentrée entre les livres et la table de travail. Deviendrait-il artisan, lui aussi ?

Au retour des vacances, une fois dissipée la joie animale des retrouvailles, les frères évaluèrent rapidement leurs différences. Chacun jugea l'autre. Paul estima son cadet sérieux, renfermé, égoïste avec ses nouveaux désirs de lire, d'écouter de la musique, de réfléchir sans jouer ; bref, il le décréta « chiant » ! Quant à Virgile, il soupçonna que l'activisme frénétique de son aîné cachait une vacuité intérieure et tenta de s'en protéger en s'isolant.

Trop proches pour s'en vouloir, trop disposés au bonheur pour s'encombrer de sentiments négatifs, ils commencèrent à évoluer chacun de leur côté, Paul en chef de clan dans le quartier, Virgile en rêveur dans le débarras qu'il avait supplié ses parents de transformer en chambre.

La vie coulait.

Paul et Virgile se différenciaient.

Ils ralliaient chaque été les lieux à l'origine de la fracture – Paul à Cannes auprès du grand-père au coffre-fort, Virgile à Lyon auprès du grand-père à la poussière d'or –, et la brèche s'accentuait.

***

Ils avaient dépassé les vingt ans désormais.

Virgile achevait ses études de lettres. Paul, fidèle à son père et à son grand-père, devenait un dilettante, charmant et incapable. Par paresse, il restait confiant en sa destinée. « Un jour, tu seras riche. Un jour, tout cela t'appartiendra. »

Le grand-père napoléonophile s'éteignit. Ces trois dernières années, Paul, occupé par ses amours, ne lui avait pas rendu visite et son père avait négligé de venir à Cannes, repoussé par la mauvaise humeur que le vieillard affichait depuis que sa santé déclinait.

Pour l'enterrement, la famille descendit au grand complet, même Virgile qui avait peu fréquenté ce grand-père-là. Après la messe de funérailles, l'ouverture du testament chez le notaire provoqua un malaise : le vieillard léguait ses biens au jeune kinési-thérapeute qui avait pris soin de lui, ces deux ultimes années, après son accident vasculaire cérébral. À son fils, et par-delà à ses petits-fils, il laissait la clef du coffre.

La surprise passée, Paul et son père, quoique déçus – la maison familiale valait cher, les revenus des trois meublés constituaient une somme agréable –, déci-dèrent que ce partage leur était indifférent puisqu'ils détenaient l'essentiel : le trésor du coffre.

Le père se présenta à la banque avec ses deux fils, pénétra dans la salle souterraine et se dirigea vers le 2B34. « Un jour, tu seras riche », la prophétie rou-lait identiquement dans les cerveaux de Paul et de son père.

La porte s'ouvrit.

Le coffre était vide.

Ils demeurèrent médusés.

Le coffre était vide.

Ils vérifièrent le numéro. 2B34. Oui, pas d'erreur.

Le coffre était vide.

Plus vaste vide que plein.

Vide.

« Regardez, il y a une enveloppe au fond », s'écria Virgile, le moins choqué des trois dans la mesure où il n'avait pas admiré le coffre au temps de sa splendeur.

Le père saisit l'enveloppe, éprouva un regain d'espoir, la décacheta et en sortit une feuille.

Une page blanche.

***

François, l'autre grand-père, décéda à son tour. Virgile eut le bonheur de lui tenir compagnie, lors de ses derniers jours, à l'hôpital Saint-Paul, tout en prenant soin de la grand-mère, accablée, qui perdait l'homme et le sens de sa vie.

Pour l'enterrer, la famille débarqua, la mère qui pleurait celui qu'elle chérissait, le père soutenant sa femme, Paul qui fuyait ses dettes de jeu.

Au dîner des proches, Paul but plus que de raison et Virgile dut le ramener à l'hôtel pour qu'on n'entendît pas les insanités que son frère débitait contre la famille, les familles en général, la sienne en particulier.

Quand la grand-mère maternelle reçut de l'État une retraite de veuve d'artisan, soit la moitié de rien, on douta qu'elle pût survivre avec cette misère. Elle réconforta les siens en déclarant que le prévoyant François l'avait mise à l'abri du besoin : en une vie, avec la poussière d'or récupérée chaque soir, il avait coulé sept lingots qu'elle allait vendre et dont les intérêts lui assureraient une existence décente.

***

Trente ans plus tard, Paul et Virgile se voient souvent. On les dit très unis. En vérité, Paul ne sait rien faire, ni garder une femme ni conserver un emploi, et ne se rend chez son cadet que pour lui « emprunter » de l'argent, terme pudique masquant son incapacité à rembourser.

Virgile est devenu écrivain. Un ample public s'arrache ses livres dès qu'ils paraissent, en France et en de multiples pays. On l'envie, on l'encense, on le jalouse, certains se moquent du flegme avec lequel il crée, d'autres s'en étonnent, tant cette bonhomie semble loin des affres de l'artiste. Lui hausse gentiment les épaules quand on lui en parle : il songe à son grand-père, il se sent artisan. D'ailleurs, lorsqu'il monte dans son bureau aménagé au dernier étage de la maison, il n'annonce pas « je vais écrire », mais il murmure « poussière d'or ».

Récemment, un ami qui avait croisé Paul, flou, éméché, pathétique, a demandé à Virgile comment il tolérait son incapable d'aîné sans jamais se fâcher. Virgile a répondu avec un demi-sourire :

« La poussière d'or et la page blanche. »

La page blanche, c'est la feuille vide qu'il faut remplir soi-même.

La poussière d'or, c'est le fruit de la patience et du travail, un fruit que l'on ne cueille que pour l'offrir aux autres.

Je me souviens de la baie en ruine

Sigolène Vinson

L'enfant se penche par-dessus le rebord de la barque. La mer est sombre. Pas comme dans le lagon de *Mucha* où elle se laisse pénétrer, transparente malgré la période du frai. Et si pleine de tortues. Le moteur tousse, pourvu qu'il tienne jusqu'à la terre. Oui, la mer est trop lugubre de ce côté-ci, et cette vague qui si elle n'est pas scélérate est de nature sempiternelle, à en foutre la trouille. L'enfant tremble, la température avoisine pourtant les quarante-cinq degrés. Il attend que l'adulte qui l'accompagne, son père ou peut-être un ami de son père, lui dise qu'ils sont au beau milieu d'une passe aux courants furieux et contraires, dans le *Ghoubbet-El-Kharab*, la baie en ruine aussi appelée le gouffre des démons, et que les remous mauvais ont une cause. N'importe laquelle. Le vent solaire. La température. La densité. La salinité, puisque le lac Assal est juste là, planqué derrière l'île du Diable. Peut-être aussi, la tectonique des plaques. L'enfant se tourne vers l'adulte, les yeux écarquillés et les joues mouillées. Il a besoin d'une explication sur les mouvements violents de l'eau. Sur ses larmes surtout. L'adulte se baisse à sa hauteur et pose les mains sur ses épaules que le soleil a cuites, si chaudes et si menues : « C'est le monstre qui s'agite. » Toujours la même histoire. Elle court les rues, les plages, les îles et les montagnes. L'enfant la connaît déjà et c'est pour cette raison qu'il tremble et pleure. En 1978, comme c'est vieux maintenant, une carcasse de dromadaire a été placée dans une cage à requin et descendue dans la fosse du *Ghoubbet*, faille du grand rift, profonde de deux cents mètres et âgée d'un million d'années, comme c'est vieux maintenant. Attiré par la charogne, un monstre marin a défoncé la cage et a dévoré le dromadaire jusqu'aux os. Enflé et empâté par son repas, il est resté coincé entre les barreaux d'aluminium. Depuis, il tente d'en sortir. Mais sa nage frénétique a déformé la cage, le piège est inextricable. L'adulte achève son récit : « Cette vague qui ne finit jamais, c'est le rêve d'évasion de la bête. » L'enfant ressent cette conclusion plus qu'il ne la comprend. Alors, il tremble et pleure de plus belle. L'adulte tire un jerricane de dessous le banc et verse son contenu d'essence dans le moteur. La barque redémarre, la vague est passée, la terre est toute proche et les années filent. Après son départ d'Afrique, après tout un tas d'autres choses, l'enfant n'est plus un enfant. Il a lu et relu *Moby Dick*. Il a lu et relu *Les Travailleurs de la mer*. Il cherche. Il trouve. Le monstre marin de ses jeunes années est connu sous le nom de « créature de Cousteau ». Hum, la carcasse de dromadaire dans la cage à requin, c'était un coup du commandant de *La Calypso* qui avait entendu parler de la bête et voulait la voir. Les amateurs de

zoocryptologie conjecturent à tout va : Un Mégalo-
don, un Mosasaure… Le *Ghoubbet-El-Kharab* ren-
fermerait un océan préhistorique. Un jour prochain,
la fracture sera réelle entre la plaque africaine et la
plaque asiatique. À la place, un océan auquel les spé-
cialistes ont déjà donné un nom, l'*océan Érythréen*.
Pas un océan préhistorique, non, mais un océan au
goût de fin de l'Histoire. Les hypothèses existent
aussi d'une limule éléphantesque, plus grosse qu'un
éléphant de mer, ou d'un calamar géant dont les ten-
tacules auraient exercé une pression sur la cage. Et
l'enfant devenu adulte s'est mis à aimer les capitaines
Nemo plus que les Ned Land. Pour ses quarante
ans, il retourne courageux dans le pays tant aimé,
sur la mer tant regrettée. Il embarque sur un bateau
avec des touristes anglais et allemands. La baie en
ruine est une attraction. Le gouffre des démons, une
farce. D'octobre à décembre, la passe retient le planc-
ton comme nulle autre passe, le requin-baleine en
fait sa nurserie. Les hommes toujours veulent nager
avec le plus grand poisson de la Terre. Pourquoi ?
L'adulte qui était un enfant n'en sait rien. Il tremble
et pleure en remontant à la surface, car à qui est-ce
donné de nager avec le requin-baleine ? À presque
tout le monde, aux touristes anglais et allemands.
Leur sourire est béat, sinon stupide, ils ont touché
quelque chose, la peau d'un cartilagineux qui n'a
qu'elle pour se protéger des agressions extérieures.
Ils s'exclament : « *Große !* », « *Monster !* ». Seulement le vrai monstre, la créature de Cousteau, ils ne
l'ont pas vu. Et l'adulte se souvient d'une phrase que
son père ou peut-être un ami de son père lui disait

quand, enfant, il revenait d'une baignade où il n'avait croisé aucun requin, ceux qui sont plus féroces que le requin-baleine : « Tu ne les as pas vus mais eux t'ont vu. » Il faut repartir, laisser le requin-baleine recomposer ses denticules dermiques, son unique défense contre un monde qui ne tourne plus rond et où il est le plus grand poisson. Dans le froid et le gris d'un autre continent, l'adulte qui était un enfant cède la place au vieillard. Il lit et relit *Moby Dick*. Il lit et relit *Les Travailleurs de la mer*. Et si c'était un cachalot blanc. Et si c'était une pieuvre. Son souffle se raréfie, ses poumons ne valent plus rien. Quitte à ne plus respirer, autant s'enfoncer dans l'eau. Il demande à faire un dernier voyage. En avril, le requin-baleine évolue dans le détroit du Mozambique. Peut-être avec les touristes anglais et allemands. La baie en ruine est pour lui seul, les démons du gouffre dansent de joie sur sa tête. L'homme qui pilote le bateau lui a promis de ne pas le retenir. À la corne de l'Afrique, toutes les promesses sont tenues. L'être humain y est né, c'est dire. Il saute à la mer sans aucun équipement, rien que son vieux corps décharné et une ceinture de plomb qui l'entraîne vers le fond. Les mètres défilent, tout est obscur. Bientôt, il n'a plus d'air. Il s'en fiche, il est mort. Arrivé au creux de la faille qui est le bout de tout, il distingue la cage à requin et dedans le monstre qui se débat. Sans prendre le temps de le détailler ou de se le représenter, il le mange. Enflé et empâté par son repas, il ne peut plus se dégager. Sur l'onde remuante du *Ghoubbet-El-Kharab*, un enfant est penché par-dessus le rebord d'une barque. Il demande à un ami de son père d'où

naît la vague qui les bouscule. L'adulte lui répond :
« Cette vague sans fin, c'est le très vieux rêve d'évasion d'un homme. »

REMERCIEMENTS

Matthieu Chedid remercie Patrick Burensteinas, Laurence Catanèse, Raphaëlle Pinoncély et Pierre Rabhi.

Table

TOUS LES ENFANTS
ONT DROIT À L'ÉDUCATION

L'UNICEF agit pour une éducation équitable, de qualité, et un accès aux loisirs pour tous les enfants et les adolescents, partout, tout le temps.

unicef

L'ÉDUCATION est UN DROIT FONDAMENTAL

Elle est l'espoir et le rêve de millions d'enfants et de familles partout dans le monde.

L'UNICEF agit pour que l'éducation primaire soit gratuite, obligatoire et de qualité pour tous en distribuant par exemple des fournitures scolaires au Niger.

168

millions d'enfants travaillent dans le monde

- - - - - - - - - - - - - - - - -

alors qu'ils devraient **ALLER À L'ÉCOLE.**

En Haïti, les restavek sont de jeunes servantes qui n'ont droit ni à l'école ni à leurs propres jouets. Jacqueline a 7 ans.

unicef

Chaque enfant a DROIT
à L'ÉDUCATION.
Il doit apprendre à écrire,
lire, compter, se développer.
- - - - - - - - - - - - - - - - - - -
Il peut ainsi CHOISIR SON
MÉTIER, s'épanouir,
se protéger, sortir
de la pauvreté.

À Madagascar comme ailleurs, l'UNICEF
soutient le développement de programmes
de scolarisation de la petite enfance.

Tous les **enfants** ont le **droit** à **l'éducation**

Même dans **les situations d'urgence**

unicef 🕊

L'UNICEF distribue des "École en boîte" dans toutes les situations d'urgence. Adaptées à l'âge, elles sont utilisées dans des écoles ou espaces amis des enfants, comme ici en Ouganda.

unicef ✿

31

**millions de filles en âge
d'aller à l'école primaire
n'y vont pas.**

- - - - - - - - - - - - - - - - - - - -

**Alors qu'un enfant dont
la maman sait lire a 50 %
de chance en plus de vivre
au-delà de ses 5 ans.**

*Cette petite fille malgache vient de
recevoir de l'UNICEF une moustiquaire
imprégnée d'insecticide pour se protéger
des moustiques et du paludisme.*

UN DON POUR UNE VIE

BON À RENVOYER.

Oui, je veux aider les équipes de l'UNICEF sur le terrain.

Je vous fais pour cela un don urgent de :

☐ **15 €** ☐ **20 €** ☐ **30 €**
☐ **45 €** ☐ **60 €** ☐ Autre montant .... €

☐ Mr ☐ Mme ☐ Mlle

Nom et prénom :

Adresse :

Code postal :

Je joins mon don par :

☐ Chèque bancaire ou postal à l'ordre de UNICEF France.

☐ Carte bancaire n° :

Date d'expiration : ☐☐ ☐☐
　　　　　　　　　　Mois　Année

Notez les 3 derniers chiffres
inscrits au dos de votre CB :

Date

Signature

DÉDUCTION FISCALE 75 %

75 % de vos dons à l'UNICEF sont déductibles de vos impôts, dans la limite de 530 €.
Ainsi, par exemple, un don de 80 € ne vous revient en réalité qu'à 20 €,
compte tenu de la réduction d'impôt de 60 €. Nous vous enverrons un reçu fiscal.

216 64 06

Le Comité Français UNICEF collecte des dons pour l'UNICEF International dans plus de 150 pays.
Grâce à vos dons, nous pouvons sauver, protéger, éduquer et réagir en urgence. Nous vous remercions de votre confiance et de votre soutien fidèle.

www.unicef.fr
UNICEF France - 3, rue Duguay-Trouin - 75282 Paris Cedex 06

Pour continuer à soutenir les actions de l'UNICEF, faites un don sur www.unicef.fr

Nous tenons à remercier
les équipes de Maury Imprimeur
qui ont réalisé l'impression de cet ouvrage.

Cet ouvrage est imprimé sur papier Bluebook 60g
de chez Stora Enso

storaenso

PAPIER À BASE DE
FIBRES CERTIFIÉES

Le Livre de Poche s'engage pour
l'environnement en réduisant
l'empreinte carbone de ses livres.
Celle de cet exemplaire est de :
180 g éq. CO_2
Rendez-vous sur
www.livredepoche-durable.fr

Composition réalisée par NORD COMPO

Achevé d'imprimer en avril 2016, en France sur Presse Offset par
Maury Imprimeur – 45330 Malesherbes
N° d'imprimeur : 208385
Dépôt légal 1re publication : mai 2016
LIBRAIRIE GÉNÉRALE FRANÇAISE – 31, rue de Fleurus – 75278 Paris Cedex 06

88/4373/3